Les THIBAULT 13

チボー家の人々

エピローグ II

ロジェ・マルタン・デュ・ガール

山内義雄＝訳

白水 u ブックス

チボー家の人々13　エピローグⅡ　目次

十三

「ドクトル・チボーがお見えになりました」と、うれしそうな声で老僕が通じた。

フィリップ博士は、アントワーヌの来るのを待ちながら、書斎のテーブルの前にすわって、四、五本の手紙の筆を走らせていた。博士は、あわただしく立ちあがると、例のおどるような、ぎごちない足どりで、戸口に立つアントワーヌのほうへ進みよった。彼は、アントワーヌの手を握るまえに、しばだたいているまぶたのあいだの、まるで燃えているような鋭い眼差しをアントワーヌのうえにそそいだ。そして、頭を少しゆすりながら、感動をごまかそうとして、ちゃかしたような微笑を浮かべた。

「なかなかりっぱじゃないか、その空色の軍服は！　ところで、どうだね？」

《ずいぶんふけられたな》と、アントワーヌは思った。

博士の肩はまるくなっていた。そして、長いからだは、両足の上でとても不安定な感じだった。もじゃもじゃなまゆげややぎひげも、いまはすっかり白くなっていた。しかし、しぐさなり、眼差しなり、微笑なりには、いまもなお、快活さ、若さ、さらにはいたずらっぽいかげさえうかがわれた。だが、それも何かたよりない感じで、こうした老人じみた顔にくらべて、ほとんど不似合いといった感じだった。

博士は、黒いすじのはいった旧式の赤い軍袴《ぐんこ》の上に、すそのすりきれたモーニングを着ていた。そして、こうした両棲的な服装こそは、まさに半官半民の彼の仕事ぶりをかなりみごとにあらわしていた。一九一四年の終わりから、博士はすでに、軍の衛生事務改善を目的とする委員会の会長に推されていた。そして、その年以来、博士は、自分の目から見て、けしからん欠陥を持っていると思われる衛生機構の欠点を退治することを仕事にしていた。医学界における博士の名声は、彼にたいして例外的ともいうほどの独自の行動をゆるしてくれた。彼は、官の法規にたいしてぶつかっていった。悪弊を摘発し、その筋の注意をうながしもした。こうして、たといおそまきの感はあったが、この三年間に行なわれたきわめて適切なさまざまな改革は、もっぱら博士の果敢不屈な闘争によってたたかい取られたものだった。

フィリップ博士は、アントワーヌの手を取って放さなかった。そして、小さな、しめった喉音《こうおん》をひびかせながら、ゆっくりその手をゆすっていた。

「それで?……どうだった?……あれからどんなようすだね?」それからアントワーヌを机のほうへ押しやりながら「話したいことが山ほどあって、どれから話していいかわからないが……」博士は、アントワーヌを、いつも患者にすすめる安楽椅子に腰かけさせた。だが自分は、テーブルの向こうがわにすわらずに、腕をのばしてたたみ椅子を取り、それをアントワーヌのすぐそばにすえ、それに馬乗りになりながら、アントワーヌの顔をじっとながめた。

「さあ、話を聞かせてもらおうじゃないか。毒ガスにやられたそうだが、どんなぐあいだね？」

アントワーヌの心は動揺した。彼はこれまで、幾度となく、博士の顔の上に、こうした職業的な注意ぶかさ、荘重さをながめてきた。だが、自分自身その対象となったのは、これがはじめてのことだった。

「だいぶ衰弱しておりましょう？」

「少しやせたな……たいして目だつほどでもないが！」

博士は、鼻眼鏡をはずし、それをふいてから丁寧にかけ直し、身をかがめながら微笑してみせた。

「ではうかがおうか！」

「わたくしは、みんなから《重症毒ガス患者》という、もっともらしい名でよばれております。いや、なんともなさけないことになりまして」

博士は、いささかじれったそうなようすをした。

「ちょ、ちょ、ちょっと……まず最初から聞こうじゃないか。で、最初のときの負傷は？　どんな痕跡がのこっているかね？」

「そのほうは、たいしたこともなしにすんだはずだったんでございます。もし戦争が、去年、イペリット・ガスにやられるまえにすんでいてくれましたら……しかも、たいして吸いはしませんでした。そして、こんなことにはならずにすんだはずでした。ところが、ガスにやられた損傷が、肺の状態の結果として、明らかに、右の方面で悪化したのでございました。肺に穴があいていまして、正常な弾力性を回復できずにいたのでした」

フィリップ博士は顔をしかめた。

「はい」と、アントワーヌは、考えこんだようすで言った。「ひどくやられてしまいました。楽観できない状態にあります……もちろんなんとかしてなおってみせようとは思っております。しかし、ずいぶん長くかかりましょう。それに……」せきこんできたので、しばらく言葉を切らずにはいられなかった。「それに、たしかにこれから先の一生、ずいぶん苦しむだろうと思っております！」

「どうだね、いっしょに食事をしてくれるかね？」と、思いだしたように博士がたずねた。

「喜んで。でも、手紙でも申しあげましたが、ただいま食餌療法をやっております……」

「ドゥニにも言っておいた。ちゃんと牛乳が手に入れてあるんだ……いっしょに食事ができたら、話もゆっくり聞けるわけだ。では、改めて最初から話してもらおう。いったいどうしてそんなことになったのかね。安全なところにいることとばかり思っていたが？」

アントワーヌは、はげしく肩をすくめてみせた。

「なんともお話になりませんので！　ちょうど去年十月のことでした。当時わたくしは、エペルネーで、のんきにやっておりました。これも宿命と申しましょうか、毒ガス患者の救護編成を命じられていました。ところが、シュマン・デ・ダーム地区での最近の戦闘の結果――と申しますのは、おりからマルメーゾン、パルニーなど、わが軍の手に落ちたばかりのところでした――送られてくるガス患者の中に、看護兵や担架兵が大ぜいいるのを見てびっくりしました。なんともふしぎなことでした

——そこで、救護班のあいだに、毒ガスの予防手当がじゅうぶんであるか、また、班員がその処置をじゅうぶん実行しているかどうか考えてみました。そして、しらべてみようと思いました。師団の軍医長ともちょっと知りあいの仲でしたので、現場調査に出かける許可をもらいました。そして、まさに調査に行ったその帰り、あっさりやられてしまいました……ちょうど、前線から引き返そうとしていたところへ、ボッシュのやつ、毒ガス攻撃をしかけてきました。これが不運の手はじめでした。それに時候は、季節はずれでじめじめしていて、さらにその日が生あたたかい日にあたっていました。これが第二の不運でした。湿気というやつ、ご承知のように、酸性反応によってイペリットの毒性を増大させます」

「つづけたまえ」と博士は言った。彼は、ひじをひざにつき、こぶしの上にあごをささえて、じっとアントワーヌをみつめていた。

「わたくしは、師団司令部に残してきた自動車までたどりつこうと思っていそぎました。わたくしは、交替兵でいっぱいの交通壕を避けようと思いました。そして、近道を取ったつもりでした。あたりはまったく真のやみ。半分ばかり水につかった壕の中を、ものの二十分もぼちゃぼちゃ歩いて行きました。くわしいことははぶきますが……」

「防毒マスクはなかったのかね?」

「もちろん持ってはおりました……しかし、じつは借りもののマスクでございました……たしかに、そのつけ方がわるかったのだと思います。あるいは、それをつけるのがおそすぎたのかも。頭の中には、ただ自動車にたどりつこうという考えだけ……ようやく司令部に着きますと、車に飛びのり、そのまま車を走らせました。いまから思えば、そのまま師団付き野戦病院にとどまっていて、すぐ重曹水でうがいをしたらよかったんだと思うのですが……」

「そうだった。たしかにそのほうがよかったな！」

「しかし、自分では、やられたことに気がつかないでおりました。それから一時間して、首のあたり、わきの下のあたりにちくちくするような痛みを感じました。……エペルネーにもどりついたのは真夜中でした。わたくしは、すぐコラルゴルを塗布してもらい、それから床につきました。そして、あいかわらずたいしたことはないだろうと思っていました。ところが、気管支を、想像以上に深くやられておりました……まったくお話にならないばかばかしさで。つまり、注意が規定どおり行なわれているかどうかをたしかめに行ったわたくし自身が、それをしていなかったというわけでして！……」

「で？」と、フィリップ博士は言葉をはさんだ。そして、なにからなにまでのみこんでいることを見せたい気持ちで、「そして、その翌日は、目の障害、胃腸障害、その他いろいろ……」

「ところが、そのどちらもございませんでした。翌日になっても、ほとんどなんの徴候もあらわれません。わきの下に、ほんの軽度の紅斑が出ました。皮膚にいくらかの炎症、それもきわめて軽微なやつ。水疱も出ない。ところが、気管支のところに、くわせものの、深い損傷ができていまして、それが幾日かたってはじめてわかったというわけでした……それから先はおわかりのことと思いますが、咽喉《いんこう》気管支炎のくりかえし……義膜をともなう急性気管支炎……つまりご承知の続発症です！　それが六カ月まえからつづいております……」

「声帯は？」

「なんとも哀れな状態です！　お聞きのとおりの声でして。それでも今夜は、朝から手当をしていたので、なんとかお話しできますが、それにしても、ちょいちょい声が出なくなります」

「声帯の炎傷性損傷かな？」

「ではないと思うのですが」

「神経の損傷かな？」

「でもないと思うのですが。仮声帯が腫脹して、声帯の上におしかぶさり、それで声が出ないのです」

「たしかに、それが声帯の震動をさまたげているんだ。ストリキニーネをのまされたかね？」

「一日、六ミリ、七ミリまでのまされました。しかし、少しもよくはなりませんでした！　ただ、えらい不眠症になりまして！」

「南仏《ミディ》のほうにはいつからだったね？」

「今年のはじめからでした。最初エペルネーからモンモリヨンの病院に送られ、こんどはそこから、グラッス付近のいまいるル・ムースキエ療養所へまわされました。ちょうど十二月の末のことでした。肺の損傷は、どうやら癒着しかけていたようでした。ところが、ル・ムースキエでは、肺硬化の徴候がみとめられました。呼吸困難はたちまちはげしくなってきました。これという理由もなしに、体温は、急に九度五分、四十度まであがるかと思うと、たちまち七度五分にさがりました……二月には、血痰をともなう乾性肋膜炎をやりました」

「いまではもう、そうしたはげしい熱の動揺はないのかね？」

「いいえ」

「何に原因していると思うかね？」

「感染のためだと思うのですが」

「？……」

「……何か慢性の伝染病のせいだと思うのですが」

ふたりの目と目はぴったりあった。アントワーヌの目のなかを、何か問いかけるような光がかすめた。博士は、手を前へ出した。

「ちがうよ、チボー君！　きみがそうだと思っていたら、それはたしかに取りこし苦労だ。ぼくの知ったかぎりにおいて、こうした場合、肺結核へ進むことはぜったいになかった。これは、ぼくよりきみのほうが承知のはずだが。イペリット患者が結核になるのは、ガスを吸う以前にその徴候があった場合にかぎられている……ところで」と、博士はからだを起こしながら言葉をつづけた。「運がよかった、きみは呼吸器のほうに既往疾患がなかったから！」

博士は、確信のあるようすで微笑してみせた。アントワーヌは黙って博士をみつめていた。彼はとつぜん、なつかしそうに旧師を見ながら、自分のほうでも微笑した。

「わかっております」と、アントワーヌは言った。「運がよかったと思っております!」

「同様に」博士は、思い浮かんだままを口に出すといったように「肺水腫は、窒息ガスにやられたものにしばしば見られることと思うが、イペリット患者の場合には、きわめてまれなことなのだ。これまた運がよかったな……それに、イペリット・ガスが原因になって肺に継発症をおこす場合はさらにまれで、概して言えば、ほかの毒ガスの場合にくらべて、さほど危険ではないらしい。ちがうかね? このあいだ、それに関する好論文を読んだのだが」

「アシャールので?」と、アントワーヌがたずねた。彼は、首をゆすって見せた。「一般にイペリットには、窒息ガスの場合とは逆に、肺胞よりもむしろ小気管支のほうがやられ、ガス代謝はたいして変化しないと言われております。しかし、わたくし自身の経験、それにわたくしがほかの連中について調査しました結果、懐疑的にならざるを得ませんでした。残念なるかな、事実としては、イペリットにやられた肺臓は、あらゆる二次疾患をしめしております。どれもこれもがきわめて手に負えないしろものでして、いずれは慢性化する傾向を持っております。ことにイペリット患者の場合においては、肺胞の内部から側壁までが硬化し、肺を閉塞した例がたくさんあります……」

しばらく沈黙がつづいた。

「心臓のほうは?」と、フィリップ博士がたずねた。

「きょうまでのところ、だいたいなんとかもっております。しかし、それもいつまでもちますことやら。何カ月というもの、ただ心臓だけが、中毒状態で疲労しきった肉体の抵抗の中心をなしていた場合、いまさら心臓にへばるなと言っても、それはむりだと申せましょう。すでに筋繊維と神経核とが、毒素に犯されていないだろうかとさえ思っております。この数週間、いくつかの心臓血管障害を認めました……」

「認めたって？　それはどうして？」

「まだレントゲン検査はうけておりません。そして、聴診の結果、世話をしてくれている者たちは、なんら異状を認めないと言っております。しかし、それがはたしてほんとかどうか？　ほかにも調べる方法があります。つまり、脈搏と血圧をしらべますので。ところで、体温は八度五分ないし九度をこえませんのに、つい先週も一二〇と一三五を上下する異常な脈搏増加を認めました。こうした心臓急搏と肺水腫の初期とに、何か関係があるといわれましてもべつにふしぎには思われませんが……いかがでしょう、ご意見は？」

その質問を博士はそらした。

「なぜ心臓のはたらきを、たびたび吸角でもかけて楽にしてやらないんだね？　必要とあったら、ちょいと刺胳《しらく》をやってもいいだろうに？……」

アントワーヌには、その言葉が耳にはいらなかったようだった。そして、注意ぶかく旧師の顔を見まもっていた。博士は、微笑を見せたあとで、チョッキのかくしから、アントワーヌも見おぼえのある大きな両蓋《りょうぶた》の金側時計を取りだした。そして、（ほんとに調べるつもりというより、むしろこれまでの癖といったように）からだをかがめてアントワーヌの手首をにぎった。

しばらくの時が流れた。博士は、目を針にそそいだまま、じっと身動きしないでいた。とつぜん、アントワーヌははっと思った。この真剣な、なぞのような博士の顔、それを見ると、記憶の底から、きわめて明瞭な、そしてずいぶん久しく忘れていた一つの思い出が浮かびあがった。まだ博士との交渉ができてまもないころ、ある朝、病院で、きわめてやっかいな診察をすました博士といっしょに診察室を出たときに、博士は、とても上きげんな、自信のあるようすで、アントワーヌの腕をつかんでこう言った。——「ねえきみ、医者というものは、せっぱつまった場合に出会ったとき、いつも自分だけの気持ちになり、ひとりで考えることができなくてはだめなんだ。ところが、それには、ここに一つきわめて確実な方法がある。すなわち、クロノメーターというやつだ。医者は、チョッキのポケットに、どっしりしたコーヒーの下皿ほどの、大きくて、りっぱなクロノメーターを持っていなければ！　これさえあれば、救われるのだ。不安にかられた家族の人たちからも迫られることもあるだろう。往来で、被害者を前にして、矢つぎばやに質問をしかけてくる群集に身をさらさなければならないこともあるだろう。その場合、静かに考えてみるためには、相手を静かにさせておこうと思ったら、ひとつ魔法をつかえばいいんだ。すなわち、これ見よがしに特大型のやつを取りだして、脈を見る！たちまちあたりはしんとする。自分ひとりになれるんだ！　盤面をのぞきこみ、じっとそうしているかぎり、落ちついた気持ちで判断がくだせる。書斎の中で、頭をかかえているときとおなじく、一心になって診断がくだせる……ぼくの経験を信用したまえ。すぐに出かけて、りっぱなクロノメーターを買ってくるんだ！」

博士は、アントワーヌの心の動揺には気がついていなかった。手首をはなすと、博士はゆっくり身を起こした。

「たしかに速い。ちょっと大きい。だが整脈だ」

「はあ。ところが、日によりますと、反対に――とりわけ夕方――とても小さくてやわらかく、ほとんど触れないことがあります。なぜでしょう？　それに、肺の病変が悪化しますと、ふたたび頻脈があらわれます……がいして、間欠的な脈でして」

「眼球圧迫をこころみたかね？」

「それもじつは、これというほど緩徐にしてはくれませんでした」

またもやしばらく沈黙がつづいた。

「肺も弱ってしまいました」と、アントワーヌは、むりに微笑をつくりながら言った。「このうえ心臓まで弱りましたら！……」

博士は、手まねでおしとどめた。

「しいっ！　高血圧昂進と心搏急速は、多くの場合、単に防御現象にすぎないのさ。いまさら説明するまでもないと思うが、きわめて小さい脳栓塞の場合、きみもぼく同様知っておいでのことと思うが、心臓は、つまり高血圧と頻脈のおかげで、肺胞の閉塞をみごとにふせいでいるわけなのだ。このことは、ロジェスがちゃんと証明している。つづいて幾人かの人が証明している」

アントワーヌは、なんとも返事をしなかった。彼はふたたびからだを二つおりにしてせきこんだ。

「どういう手当をしているかね？」と、博士はたずねた。たずねながらも、その質問に、たいして重きをおいていないようだった。

口がきけるようになるやいなや、アントワーヌは、おっくうらしく肩をすくめた。

「あらゆることをやってみました！　なにからなにまでやってみました……もちろん、阿片剤だけは別でしたが……硫黄剤……つづいて砒素剤……それからまた硫黄剤――つづいて砒素剤……」

その声は、しわがれて、弱々しく、そして、ところどころとぎれていた。彼は口をつぐんだ。この長話にすっかり疲れていたためだった。彼は、あお向いた。そしてしばらくのあいだ、上体を立て、首筋をもたせ、目をつぶったままでいた。そしてふたたび目をあけると、きわめてやさしい博士の目が、じっと自分のうえにそそがれているのを見た。こうした博士のやさしい態度は、不安をたたえた態度以上に、思わず彼をぎくりとさせた。彼は、口ごもるようにこう言った。

「先生はたぶん、わたくしがこれほど……」

「とんでもない！」と、博士は笑いながらさえぎった。

「きみの最近の手紙では、これほど順調にいっているとは思わなかった！」そして、とつぜん話を打ち切って、「ところで、肺のようすを聴診させてもらおう……」と、言った。

アントワーヌは、やっとの思いで立ちあがった。そして、上着をぬいだ。

「ひとつ正式にやってみるかな」と、快活らしく博士は言った。「あそこへ行って横になってもらおう」

博士は、そこに患者を寝かせることにしている、白いカヴァーのかかった長椅子をしめした。アントワーヌは、言われるままにした。博士は、彼の前にひざをついて、何も言わずに綿密な聴診をこころみた。それをすますと、博士は急に立ちあがった。

「なあんだ……」と、博士はさりげないようすで、アントワーヌの不安な眼差しを避けながら言った。「もちろん、あちらこちらに乾性ラ音は聞こえている……ちょっとした浸潤があるんだろう……それに、右肺の上部全体が少し充血……」博士は、ようやく思いきったように彼のほうを向いた。「いまさらびっくりもしないだろうが」

「ええ」と、アントワーヌは答えた。そして、ゆっくり起きあがった。

「そうなんだ」博士は、そう言うと、ぎくしゃくした足どりで机のところまで歩いて行き、それに向かって腰をおろした。博士は、処方箋を書くためとでもいったように、ポケットから機械的に万年筆を取りだした。

「肺気腫であることは疑いない。それに、なにからなにまではっきり言えば、きみは長いあいだ、粘膜の過敏性を感じていたと思うんだが……」博士は、万年筆をおもちゃにしていた。そして、まゆをあげながら気のないようすで、テーブルの上のものをながめていた。「まあ、こういったところだな！」そう言いながら、博士は、事務的なしぐさで、あけられたままになっている電話帳をしめた。

アントワーヌは、そばへよって、机の上に両手をついた。博士は、万年筆にキャップをかぶせ、それをポケットにおさめた後で顔をあげた。そして、一語一語に力をこめて結論をくだした。

「なにしろなかなかやっかいだ。だが、まずその程度のことなのさ！」

アントワーヌは、そのまま黙って身を起こした。鏡の前でカラーのまがりを直そうと、暖炉のほうへ歩いて行った。

遠慮がちに、ドアを二つたたく音が聞こえた。「食事のしたくができたらしいぞ」と、快活なちょうしで博士が言った。

博士は、腰をおろしたままだった。アントワーヌは、博士のほうへもどって来ると、ふたたび机に両手をついた。

「できるかぎりのことはやっております」と、彼は、疲れたような声でつぶやいた。「すべて！　根気よく、知られているかぎりの手当をこころみております。自分の手がけている患者のように、臨床的な観察をくだしております。最初の一日から、毎日メモをつけております！　分析とレントゲン検査も、おっかけおっかけつづけております。何か手ぬかりをやらないよう、また何か手当の機会をのがさぬようにと、いつも自分の中をのぞきこみながら暮らしております。……」アントワーヌはためいきをついた。「それでいながら、ときによって、なんとも絶望に抵抗しきれなくなることがあります！」

「まさか！　だって、きみは、経過を知っているんじゃないか！」

「ところが、わたくしは、経過のわかるということにぜんぜん自信が持てません！」と、アントワーヌが言った。彼は、何も考えずに、ただ直感から言ったのだった。ほとんど、そのつもりもなしに言ったのだった。するとたちまち心の中に、思いがけない動揺がおこった。いま口にしたその言葉、それはいままで一度も表面にあらわさなかった隠れた気持ちを、とつぜんあらわしたものとでもいうようだった。上唇の上のあたりに、かすかな汗の玉が浮かんだ。

博士は、こうした動揺を見てとったとでもいうのだろうか？　こうした彼の悲痛な気持ちをわかったとでもいうのだろうか？　その顔が、依然として冷静であり、依然自信をしめしていたのは、それは博士が、いつもしっかり自分自身をおさえることを知っていたからとでもいうのだろうか？　だが、博士にして、そうしたお芝居ができようなどとは、とても信じることができなかった。博士は、陽気に肩をすくめてみせながら、熱のある、皮肉をこめたうら声で、

「ではひとつ、ぼくの真底の気持ちをきみにわかってもらおうかな？　そうだ、ぼくは、経過がそれほど緩慢なのを、きわめてけっこうだと思っているんだ！……」博士は、アントワーヌの驚くのを見て、しばらくうれしそうなようすだった。「こうなんだ。ぼくがわが子のように思っていた、かつてインターンだった六人のうち、三人は戦死、ふたりは終生の片輪になった。ところで、これは正直なところ、利己主義的な考え方かもしれんが、せめてその六人めだけでも、安全なところにいてほしいと思っているんだ。これからさき何カ月か、戦線から一五〇キロもはなれた南仏で、ぬくぬく日なたぼっこをさせられてね……きみがどう思うかはご自由だが、ぼくとしては、この悪夢が終わるまで、きみをなおらせたくないと思っている！　去年の十月、きみがガスにやられていなかったら、こうし

て今夜、いっしょに食事をすることだってできなかったにちがいないんだ！……」博士は、快活なようすで立ちあがった。「このへんでさっそく食事にしようか！……」

《そうだ、そのとおりだ》アントワーヌは、なるほどと思わずにはいられない博士の上きげんにつりこまれながら考えた。《なにしろ、おれはしんはしっかりしてるんだから……》

食堂のテーブルの上では、ポタージュの皿から湯げがたっていた。（何年かまえから、博士は、夕食を、スープとコンポット（果物の砂糖煮）だけですますことにしていた。）

博士はアントワーヌを、彼のためにととのえさせた牛乳のびんと茶碗の前の席につかせた。

「ドゥニは、牛乳をあたためておかなかったな。だが、飲みごろだろう……」

「いえ、いつも冷たいままで飲んでおります。けっこうです」

「砂糖なしでか？」

せきこんだので、アントワーヌには返事ができなかった。彼は手まねで、それを入れないということを知らせた。博士は、彼のほうを見ないようにしていた。咳のことも忘れてしまおう、健康のことも口に出すまい、なるたけ早く話の向きを変えたいと心にきめていたのだった。博士は、咳のおさまるのを待ちながら、考えこんだようすで、ポタージュをさじでかきまぜていた。そしてやがてそろそろ気づまりになりかけていた沈黙を破ろうとして、きわめてなにげないようすでこう言った。

「また一日、衛生委員会であばれたよ……チフスの予防ワクチン注射についての官の指令が、お話にならないほどめちゃくちゃなのだ！」

アントワーヌは微笑してみせた。そして、はっきりした声をだそうと、一口ごくりと牛乳を飲んだ。

「でも、三年以来、ずいぶんりっぱなお仕事をなさいました！」

「ずいぶん苦労がおおかった！」博士は、話題を変えようとしたが、それが見あたらぬままに言葉をつづけた。「なかなか苦労がおおかった！　一九一五年、衛生機関の編成を引きうけたとき、いったいどんなありさまだったか、とてもきみには想像できまい！」

《ところが、自分はまさに、それが思い当たるようなポストにいたんだ！》と、アントワーヌは思った。だが彼は、なるべくしゃべる機会を持つまいとしていた。そして、わかっているといったような微笑とともに、もっぱら聞き役にまわっていた。

「それは」と、博士は言葉をつづけた。「負傷兵どもを軍隊輸送や、食糧輸送につかう普通列車で送り帰していたころだった……ときによると、それは動物輸送車でありさえした！　まる一日、火の気なしの車で待たされた連中もいた。つまり、正規の列車を仕立てるには、人数がたりないということでね……たいていの場合、食事の世話も土地の人だ。包帯にしたって、その土地のおなさけぶかいご婦人がたや老いぼれ薬剤師あたりが、あぶない手つきでやってたわけさ！　いよいよ汽車が動きだしても、二日も三日も揺られたすえに、ようやくわらの上から出してもらえるといったしまつさ……そうしたわけで、ほとんどすべての列車から、破傷風患者の出たこと出たこと！　それをまた、たりないものずくめの満員の病院に詰めこんだのだ！　そこには、防腐剤、圧定ガーゼ、もちろん、ゴム手袋もなかったんだ！」

「わたくしも、前線から四キロか五キロのところで」と、苦しいのをこらえながらアントワーヌが言った。「外科専門の野戦病院を見ましたが、そこでは、ピンセットを古いなべの中に入れ……炭火で消毒しておりました……」

「やむを得ないということだったら、その程度のことなら申しわけも立つだろう……てんやわんやの場合なんだし……」博士は、いつもの冷笑をちらりと浮かべた。「需要が供給を上まわっていたんだ……戦争は、どえらい損害を出してしまった！　それに、軍のご規則による見とおしどおりには、問屋がおろしてくれなかった！……だが、なんとも容赦できなかったのは」と、博士は、ふたたび真剣なちょうしで言葉をつづけた。「それは、医学方面の動員の考え方、その行なわれ方の問題だ！軍は、戦争の第一日から、いち早く、すばらしい予備の連中を掌握していた。ところだが、最初の視察をたのまれたので出かけてみると、ドゥッチュ、アルアンといったような名だたる医者が、二十八歳、ないし三十歳の軍医の切りまわしているような病院で、二等看護兵をつとめているんだ。大手術の采配を振るのは、無学文盲な上のほうの連中。せいぜいひょうそうの手術くらいしか知らないようなやつらが、きわめて重大な手術を手がけ、そでにモールが四本ついてるというだけで、部下の――しかもそれがパリ大学病院の外科医なんだぜ――応召医師の意見に耳もかさず、めくらめっぽうに切断手術をやっつけるんだ！　ぼくや、ぼくの同僚たちは、何カ月かの後、ようやくかんたんな改革をやった。いままでの規則を改正し、負傷者の割りあてを専門医にやらせるようにするためには、大わらわの活躍が必要だった……例をあげれば、負傷の程度、差しせまった手当のことなど念頭におかずに、ただ遠くの病院のほうからいっぱいにしてかかれといったような愚劣な原則をやめさせるためには……。ボルドーとか、ペルピニャンとかへ、頭部をやられた負傷兵たちをいつも平気で送っていたんだ。ところが、向こうまで着いたためしはぜったいになかった。えそをおこし、破傷風にかかって、いつも途中で死んでしまった。十二時間以内に穿顱《せんろ》術さえやっていたら、九割までは助かっていたんだ！」

とつぜん、博士の憤慨は影をひそめた。そして、博士は口に微笑を浮かべた。

「その運動をはじめた最初のころ、誰がたすけてくれたと思うね？　びっくりするにちがいないな！　きみの患者のひとりなんだが！　ほら、ぼくがきみといっしょにギブスをはめてやり、それからベルクに行かせてやったあの娘さんの母親だ……」

「マダム・ドゥ・バタンクール？」と、アントワーヌは、まのわるそうなようすで早口に言った。

「そうなんだ！　その夫人のことについて、きみから手紙をもらったな。おぼえているかね。一九一四年に？」

そうだった。戦争のはじめのころ、シモン・ドゥ・バタンクールから、ミス・メリーが、娘をベルクにおいたままイギリスに帰ったという葉書をもらったとき、彼は、フィリップ博士にユゲットのことをたのんでやったのだった。博士は、わざわざ出かけて行ってくれ、そしてユゲットが、もはやなんのさわりもなく、だいたい普通人としての生活ができるようになったことをたしかめてくれた。

「ぼくは、そのころ、幾度かバタンクール夫人に会っていた。あの人は、パリの社交界を残るくまなく知っていた！　あの人は、ぼくが六週間もまえからたのんでおいた面会のことを、わずか一日ではからってくれた。あの人のおかげで、ぼくはゆっくり大臣自身に会うことができ、ぼくの調査の結果をすっかり披露し――ぼくの考えの全部を聞いてもらえた……二時間近くも話ができた。そして、その結果、すべてが決定を見ることになったのだった！」

アントワーヌは黙っていた。彼は、じっとからの茶碗をみつめていた。だが、なんのためにみつめていたのか、そのところはわからなかった。彼はそれに気がつくと、かっこうをつけるといったように、牛乳を少し茶碗についだ。

「あの娘さん、とてもきれいになっていた」と、博士は、アントワーヌが、べつに近況を聞こうともしないのにおどろきながら言った。「いつも気にかけているのだが……三、四カ月おきにここへも見えるよ……」

《アンヌとの関係を、博士は知っているのだろうか？》と、彼は心のうちにたずねてみた。そして、心をはげましながら博士にたずねた。

「で、あの娘は、ずっとトゥーレーヌにおりますか？」

「いや、ヴェルサイユだ。父親といっしょに、バタンクールは、パリのそばにいたいというので、ヴェルサイユに腰を落ちつけたのさ。いまシャトノーが世話をしている……バタンクールも、ずいぶん運のわるい人だったな！」

《ちがう》と、アントワーヌは思った。《もしもあの男を知っていたら、運の悪いなんて言葉は使わ

なかったにちがいないんだ》

「バタンクールの負傷模様を、きみは知っているだろうな？」

「ええ、だいたい。休暇を取っていたように聞きましたが」

「二年間前線にいたうちは、かすり傷一つ受けなかった！　ところがある晩、サン・ジュスト・アン・ショセで――休暇を取って帰る途中だ――乗っている汽車が待避線に入れられた。そして、まさに停車していたおりもおり、敵機が駅を空襲してきた！　収容されたときは、顔はめちゃめちゃ、片目はつぶれ、いっぽうの目もきわめて危険……シャトノーが、ずっとつききりで世話をしている。ほとんど盲目も同然なんだ……」

アントワーヌは、動員令のくだる直前、バタンクールがユニヴェルシテ町にたずねて来たときの、あの澄んだ、いかにも正直そうな眼差しのことを思いだした。その訪問の結果として、彼は別れる決心をしたのだった。

「あの……」と、彼は言った。いかにも声がかすれているので、博士は、身を乗りださずにはいられなかった。

「夫人もいっしょにいるのでしょうか？」

「夫人はアメリカに行ってるのさ！」

「ほう？」

アントワーヌが、これを聞いてほっとしたのはなぜだろう？

博士は、しずかに微笑していた。おりから、ドゥニは、テーブルの上に焼きりんごの碗をおきに来た。

「ふん！　あの母親だが……」博士は、りんごをたべながら、ドゥニの出て行くのを待っていた。「なんとも変わった女だな」博士は、さじを立てながら言葉を切った。「そう思わないかね？」《博士は知っているのだろうか？》と、またもやアントワーヌは心にたずねた。彼は、やっとのことで、あいまいな微笑でごまかした。(博士の前にいると、彼は、いつも落ちつかなくなってしまうのだった。そして、われ知らず、久しく博士の前でおびえさせられていた若いインターン時代の彼にもどるのだった。)

「そう、アメリカにいる！　このあいだ見えたとき、お嬢さんはこんなことを言っていた。《ママはお友だちがたくさんいるんで、きっとニューヨークに落ちつくだろうと思いますわ》聞いたところでは、フランスの宣伝委員会といったようなものから派遣されて、アメリカへ行かせてもらったらしい……そして、彼女の派遣されたのと、アメリカの大尉がひとり、本国から呼びもどされたのと、まさにぴったり一致しているんだ。その大尉というのが、パリの大使館で、しばらく何かの地位についていた男だ……」

《そうだ》と、アントワーヌは思った。《たしかに博士は知らないのだ》

博士は、いくつか種を吐きだすと、ひげをふいてから言葉をつづけた。

「少なくも、これがルベルから聞いたところだ。彼はいまでも、パタンクール夫人が、トゥール近くのその屋敷うちにつくった病院の院長をやっている。その病院へは、夫人はいまでもしたたかな援助をしているらしい……だが、そういうルベルの話にしても、どうやらちょっとまゆつばものでね。うわさによると、彼もまた、鬢髪《びんぱつ》白きを加えていながら、夫人と……特別な関係にあったらしい……そう言われてみると、彼は、戦争が勃発してはじめの冬、万事を振りすててトゥーレーヌにひっこんで暮らしていた……まだ牛乳が残っているな？」

「コップ一杯がやっとでして」と、アントワーヌは、微笑しながらつぶやくように言った。「どうも牛乳が苦手なのです！」

博士は、むりにとはすすめず、無器用な手つきでナプキンをたたむと席を立った。

「あっちの部屋へ行こうか！……」博士は、親しみぶかくアントワーヌの腕を取った。そして、書斎のほうへともないながら、「きみは、中欧側がルーマニアに押しつけた和平条件というやつを見たろうか？　意味深長だとは思わないかね？　いま、中欧側は石油を確保している。そうだ、まだまだうまいつるをつかんでいるのだ。なんでおめおめ和平なんかするものかね？」

「でも、アメリカ軍が乗りだしてきましたら！」

「ふん……中欧側にして、もしこの夏決定的な勝利をおさめることができなかったら――ところで、これは当てにはできないらしい。彼らは、第二次パリ攻撃に出る腹だろうといわれているがね――そうだ、そのあかつきは、来年になって、アメリカの兵員・物資に対抗するため、ロシアの兵員・物資をもってするにちがいないんだ。これこそは、事実からいって無尽蔵な新しい貯水池ともいうべきものだ。……そうなったあかつきは、二大陣営がぶつかりあって、はたしていかなる結果になるか？だいたい力もつりあっているし、たがいに妥協をぜったいにみとめず、しかもいっぽうの優勢が、他方を屈服させるというわけにもいかない……両者たがいに、共倒れになるまでいどみつづけなければならない運命なんだな……」

「先生は、ウィルソン（ウッドロー・ウィルソン。第一次世界大戦当時のアメリカ大統領）の良識には何もご期待なさいませんか？」

「あれは月世界（原文《シリウス》。狼星）の人間なんだ……それに、ぼくは目下の場合、フランスでも、イギリスでも、和平を希望していないとにらんでいるんだ。もちろん、これは指導者たちのことなんだが。パリでも、ロンドンでも、あくまで《勝利》を望んでいる。和平の下心でもいだこうものなら、たちまち国賊呼ばわりだ。ブリアンのような人々は、みんな臭いやつらと言われている。ウィルソンにしても、いまはともかく、いずれはそう言われるにちがいないんだ！」

「しかし、和平せざるを得なくなることもあり得ましょう！」アントワーヌは、リュメルの言葉を思いだして言った。

「だが、ドイツが、それをわれらに強制できるようになろうなんて、ぼくにはとても考えられない。そうだ、ぼくは、も一度はっきり言うが、ぼくは、たがいに対し合っている双方の力は、ほぼ匹敵していると信じている……両者共だおれにならないかぎり、ぜんぜん解決の道がないと思っている」

博士は、テーブルの前の自分の席にもどっていた。そして、疲れきったアントワーヌは、親しい身ぶりですすめられるままに、二つ返事で長椅子の上に横になっていた。

「われわれは、戦争の終結を見るまでは生きていられることだろう……だが、ぜったい平和は見られまいな。つまり、平和裡におけるヨーロッパの均衡を」博士はちょっとためらった。だが、時をおかずに言葉をつづけた。「若いきみを前にして、ぼくは《われわれ》と言ったがね。それというのは、ぼくの見たところ、そうした均衡が得られるまでには、このさき数百年もかかるだろうと思うんだ!」博士はふたたび言葉をきり、こっそりアントワーヌのほうへ目を投げた。それからしばらくひげをいじっていたあとで、悲しそうに肩をすくめて見せながら言葉をつづけた。「平和裡における均衡状態、それははたして、目下の諸条件をもってして、考えることだけでもできるだろうか? デモクラシーの理想にしても、その翼には鉛がはいっている。サンバ(フランス社会党員。第一次大戦の当初、ヴィヴィアニの率いる挙国一致内閣に入閣)の言葉はたしかに正しい。《デモクラシーは、戦争に会ってまったく無力だ。戦争に会えば、たちまち火にかざした蠟のようにとけてしまう》と、ね。戦争がつづけばつづくだけ、ヨーロッパの将来には、デモクラシーの可能性が少なくなる。これからさきは、クレマンソー、ロイド・ジョージの独裁になるだろうとの見とおしがきわめて大きい。国民は、されるがままになるだろう。すでに、戒厳令にもなれてることだし。国民は、主権在民の主張までも、だんだんなげうつことになるだろう。これは、フランスの現状を見ればわかることだ。食料品の配給管理、食料の消費割当、あらゆる方面における政府の干渉、たとえば商工業の方面においての、また個人間の契約の方面においての——モラトリアムの場合を見るがいい——思想方面においての——たとえば検閲制度を見るがいい! われわれは、それらすべてを、非常の措置として受諾している。事態の必要のしからしめるところと思っている。あにはからんや、それこそじつは、全面的屈従のまえぶれにすぎない。つまり、一度しっかり首根っ子をおさえられたら、二度と振りきる機会はぜったいにないんだ！」

「先生はステュドレルをごぞんじですか？　《カリフ》とよばれていた男ですが……わたくしといっしょに仕事をしていました？」

「ユダヤ人だったな？　アッシリア人のようなひげをはやした、そして東方の博士のような目をしていた？」

「そうでした……あの男は、負傷しました。そして、目下、サロニカ戦線のどこかにおります……そこから、おりおり、彼独特の予言的な名論というやつをよこしてきます……ところで、彼によりますと、戦争の結果、いやおうなしに革命がおこるだろうというのであります。まず第一には戦敗国において、つづいて戦勝国において。それが、突発的な革命であるか緩慢な革命であるかは別として、いたるところに革命が……」

「なるほどな……」と、博士はあいまいな返事をした。

「彼は、近代社会の破産、資本主義の崩壊を予告しております！　彼もまた、この戦争が、ヨーロッパが疲労困憊するときまでつづくだろうと考えております。ただ彼は、すべてがなくなり、すべてが平らにならされてしまったあかつき、そこに新しい世界がおこるだろうことを予言しております。われらの文明の廃墟の上に、世界連邦といったようなもの。根本的に更新された基礎の上に、この地球上の大きな集団的生活組織といったようなものが生まれてくるだろうと考えております……」

アントワーヌは、しまいまで語りつづけようとして、むりをしながら声をだしていた。そして、たちまちせきこんで、からだを二つおりにしながら言葉をきった。

博士は、じっと見まもっていた。だが、何も気がつかないようだった。

「あり得ることだな」と、博士は、いたずららしい目つきで言った。博士は、いつでもその想像力を自由に天がけらすことを知っていた。「あり得ることだな。八九年(一七八九年、フランス大革命の年)代の神秘思想なるものは、あらゆる生物学的事実に反して、人間は生まれながらにして平等であり、法律の前に平等でなければならないと長いことわれわれに信じこませた。だが、いまやそのききめも大詰めに近づき、ここに改めてなにか別の種類の、まことしやかなお題目に席をゆずらなければならなくなったということも考えられる……こうして、思想なり、行動なりの、何か新しい、活気のあるイデオロギーが生まれる段取りになり、ここしばらく、人類は、そうしたイデオロギーを振りかざして、それに陶酔することになるだろう……だが、そのあとでは、またもやすべてはご破算なんだ……」

博士は、アントワーヌの咳《せ》きおわるのを待ちながら、しばらく口をつぐんでいた。

「そうだ、そうしたこともあり得るな」と、博士は、ちゃかしたようなちょうしで言った。「だが、そうした夢は、きみの友人の予言者君にまかせておこう……ぼくの考える将来は、もっと手近なものであり、まったくちがったものなのだ。ぼくの考えでは、今後諸国家は、戦争のあたえてくれた絶対権力を、二度とふたたび手放すことをしないだろう。そこでぼくのおそれるのは、民主的自由の時代が、これからさき長いあいだ、しめ出しをくわされるだろうということだ。ぼくたちは、そうした自由が、確実に得られたものと信じていた。それが問題になることは、ぜったいあるまいと信じていた。ところが、あらゆることには、つねにふたたび問題にされるときがやってくる！　すべてが夢でなかったと誰に言えよう？　それはつまり、十九世紀末が、さも恒久の現実ででもあるかのように思いこんでいた夢だったんだな。それというのも、当時の人たちは、きわめて幸福な時代に生きていられたからなのだ……」

博士は、ざらざらした、鼻にかかった声で、さも相手がいないかのように話しつづけた。両ひじを椅子の腕木にかけ、そして、赤みがかった長い鼻を、組み合わせた両手の上にうつむけ、そして、発作的に組んだりほぐしたりしている指を見ながら。

「ぼくらは、これで人類もいよいよおとなの域に達して、これからは、知恵、節度、寛容の支配する時代に進んでいくものと信じていた……知識と理性とが、いよいよ人類社会の進歩を導くような時代になるものと信じていた……そういうぼくらが、後世史家の目から見て、人間について、また文明にたいする人間の能力について、甘い夢をきずいていたおめでたい人間、何も知らなかった人間としてしか映らないと誰に言えよう？　ことによると、ぼくらは人間の重要な条件について、目をふさいでいたのではないだろうか？　ことによると、あの破壊本能というやつ、自分たちが辛苦して打ち立てたものを周期的に打ち倒したくなるぼくらの気持ちは、つまりはぼくらが生まれながらにして持っている建設的能力をはばむところの重要な法則の一つ——つまり、賢者だったら知ることのできる、またわかっているはずの、あの神秘な、はかない法則の一つであるとは言えないだろうか？　こうなると、ぼくらの考えと、きみの友人のカリフ君の予言とは、そこに距離があるわけだな」と、博士はあざけるようなちょうしで言った。そして、アントワーヌがせきこみつづけているのを見ると、「何か飲まないかね？　水か、それともコデインでも？　いらない？」

アントワーヌは、身ぶりでいらないことをしめした。二、三分すると（そのあいだ、博士は黙って部屋の中を歩きまわっていた）、彼はようやく楽になれた。彼はからだを起こし、頬の涙をふいてから、つとめて微笑を浮かべて見せた。顔はひきつれ、充血し、ひたいはじっとり汗ばんでいた。

「先生……わたくし、おいとまいたします……」と、アントワーヌは、焼けつくような咽喉《のど》で言った。「失礼いたします」彼は、も一度微笑すると、やっとの思いで立ちあがった。「わたくし、もうだめです。はっきりそうとおっしゃってください！」

博士には、それが聞こえなかったようだった。

「人間はいろいろおしゃべりをする」と、博士は言った。「いろいろ予言をする……ぼくはきみの友人のカリフ君のことを軽蔑しながら、ぼく自身も彼とおなじようなことをやっているんだ！……すべてばかげたことなんだ。この四年間に見てきたすべて、何から何までばかげている。そうしたばかげたことからの予想にしても、おなじくばかげたことなのだ。批判するのはいい。現在の事実をやっつけること、これまたよろしい。これはけっしてばかげていない。だが、将来何ごとが起こるかを予言するなど！　いいかね、すべては次のような結論に帰着する、いわく、唯一の──科学的、と言いたいところだが、謙遜して、唯一つ理性的な、唯一つ人を裏切らないところの、とでも言っておこうか

――態度は、真実をさがすことではなく、《誤りをさがす》ことにあるんだ……誤りを認めること、これはなかなかむずかしい。だが、やってできないことではない。そして、厳密な意味で、できることといえばそれだけなのだ！……そのほかのことは、ぜんぜん寝ごとだ！」

博士は、アントワーヌが立ったまま、うわのそらの気持ちで聞いているのに気がついた。博士は、椅子から立ちあがった。

「こんどはいつ会えるかね？　出発は？」

「あしたの朝、八時です」

博士は、それと目につかないほどからだをふるわせた。そしてしばらく、声のおちついてくるのを待っていた。

「ほほう……」

博士は、玄関へ行くアントワーヌのうしろからついて行った。

博士は、アントワーヌのかがみこんだ背、上着のえりから抜けだした、やせた、ねじれた首筋をながめていた。博士は、相手に何か気《け》どらせることを、こうして黙りこんでいることを、それにまた、自分の心に思っていることをおそれていた。

博士は、いそいで口をきった。

「それでも療養所だけは気に入っているかね？　みんなまじめにやっているかね？　きみにむいた病院かね？」

「冬のあいだは満点です」と、アントワーヌは歩きながら答えた。「しかし、あそこの夏にはぞっとします。どこかほかに移してもらおうかとさえ思うほどです……できたら田舎がいいのですが……風とおしのいい、湿気のないところ……松林でもあるところ……アルカション?……ですが、アルカションもえらい暑さで……としますと? どこかピレネ山中の湯治場でも? コトレー? リュション?……」

アントワーヌは、玄関まできていた。そして、はやくも手をあげて軍帽を取ろうとしながら、《お見こみは?》とたずねるに先だち、とつぜんくるりとふり返った。とたちまち、十年にわたるそのあいだ、ともに仕事をしていた結果、微妙な変化のはしばしまで知りつくしている博士の顔のうえ、その鼻眼鏡のかげにしばだたく小さな灰色の目の中に、博士自身さえそれと気づかぬ告白と、深い憐愍《れんびん》のかげとをみとめた。それはまさしく、一つの宣告ともいうべきもの。博士の顔、博士の眼差し、ともに《何をいまさら?》といった意味を語っていた。《何をいまさら夏のことなど? そこであろうとどこであろうと……どうせ運命はきまっているんだ。きみはとうてい助からないんだ!》

《そうか、やっぱり》アントワーヌは、その衝撃のはげしさにぼうぜんとした。《そうだ、このおれ自身にもわかっていた……おれはとうてい助からないんだ!》

「そう、コトレーね……」と、博士は、あわただしくつぶやいた。そして、心をとりなおして、「むしろ、トゥーレーヌなんかどうだろう?……トゥーレーヌ……でなければアンジューか……」

アントワーヌは、じっとゆかをみつめていた。彼には、博士の眼差しを見るだけの勇気がなかった。

……博士の声の、なんとうわずってひびくことか！　それを聞くことのなんというつらさ！……アントワーヌは、ふるえる手をあげて軍帽をかぶった。そして、うつ向いたままドアまで行った。彼はただ、一つのことだけを考えていた。急に《さよなら》をすること、そして、自分ひとりで、自分の恐怖へ立ち向かうこと。

「トゥーレーヌ……でなければアンジューかな……」と、博士は、気のない声でくり返した。「調べておこう……そして、手紙で言ってあげよう……」

アントワーヌは、表情の変化をかくしてくれる前びさしの下に目を伏せながら、機械的に手をだした。博士はその手をしっかり握った。博士の口から、うるんだようなひびきがもれた。アントワーヌは、身をふりほどき、ドアをあけ、のがれるように外へ出た。

「そう……アンジューでもよくはないかな？……」博士は、手すりの上に身をかがめて、ふるえる声で言っていた。

十四

外では、やみが重くパリのうえに押しかぶさっていた。かなたこなたに、遮蔽のかさをかぶせた街灯が、人道の上に、青みがかったまるい光の輪を落としていた。人通りといってはほとんどなかった。まれに通る自動車は、しつこく鳴らすクラクションの音をひびかせながら、用心ぶかくすべっていた。

どこへ行くとも知らず、彼は、よろめきながらマルゼルブ通りを横切って、ボワシー・ダングラ町へ出た。彼は、あらゆるものに気のつかないようすで、首を重くたれ、息づかいもせわしく、ふしぎなほど空虚な、そしてひびきやすくなっている頭をかかえながら、ときどきひじが壁にぶつかるほど近く立ちならぶ建物によりそいながら歩きつづけていた。彼は何も考えていなかった。なんの苦しみをも感じていなかった。

彼はいま、シャンゼリゼーの並木のかげに来た。目の前には、木々の幹をとおして、それを照らす灯火こそまれではあったが、この晴れわたった春の夜空の明るさに、それとはっきりコンコルドの広場がひろがり、それを縦横につらぬいては、まるで燐光に輝く目をした動物とでもいったように、音を立てない無数の自動車が姿をあらわし、それがまたやみの中へ消えていっていた。アントワーヌは、ベンチを一つ見つけて、そのほうへ歩みよった。腰をおろすまえに、彼はいつもの習慣で《かぜを引いてはいけないぞ》と、思った。(だが、そのあとからは、すぐに《何をいまさら!》と思った。)いま、彼の心の中には、フィリップ博士の目から読みとったまぶしいほどの宣告が、どっかり腰をおろしていた。そして、それは単に心の中だけでなく、彼のからだの中にさえ、まるで一つの大きな、寄生的な物、ほかのあらゆるものを踏みにじってそこにぱっくり口をあけ、ついには彼の全身までもおかさずにはいない貪婪《どんらん》な腫れ物とでもいったように座をしめていた。

身をちぢめた彼は、ベンチの固いもたれに背をあずけ、こうしてわが身にとりつき、わが身をとりひしいでいるこの見も知らぬものをしめつけようと腕組みをしながら、心の中に今夜のことを思いかえしていた。彼は、心のうちに、椅子に馬乗りになっている《おやじ》のことを思い浮かべていた。――《まず最初から聞こうじゃないか。で、最初のときの負傷は？　どんな痕跡がのこっているかね？》彼は、落ちついてその説明をはじめていた。だが、彼に聞こえてくる自分の言葉は、次第次第にさっき口にしたものとはちがったものになっていた。彼はいま、ぜんぜん新しい客観的な見方で、自分の病症を、はっきりした光に照らして説明しているのだった。彼は、引きつづく発作のこと、苦しみの間隔がだんだん短くなっていくこと、ぶりかえしが、そのたびごとにだんだんひどくなっていくことなどを、なんの手ごころも加えず、ありのままにのべていた。彼は、病勢が、規則正しく中断することなく、手のつけられぬ状態で進んでいっていることを、ありありと、手に取るように説明した。そうした彼には、博士の引きつれたような顔のうえに、一瞬一瞬、すべてを見とおした不安がひろがり、終局的な診断が次第に組みあげられてゆくのを、はっきりたどることができた。

遠くのほうで、何かあとを引くような音、いままで、ただぼんやりした注意だけしかしていなかったうめき声のようなものが、たちまち夜の静けさをみだした。

彼は、あの診察をうけたあと、長椅子の上で、やっとのことで上体を起こし、見せかけだけはあきらめたように首をふって、《先生、ごらんのとおりもうだめです！》と言っていた自分の姿を思いだした。博士は、何も言わずにうつむいていた。

アントワーヌは、心をしめつける大きな不安を断ちきろうと思って、えらい勢いでベンチから立ちあがった。すると、じっとつっ立っている彼の頭の中に――まるで奈落から吹きあげるさわやかないぶきとでもいったように――何かほっとさせるような考えが浮かんだ。《そうだ、われわれ医者にとって、いつも一つの方法がのこされている……手をこまねいて待たないですむ方法……苦しまないですむ方法……》

アントワーヌは、そのまま立っていられなかった。彼はふたたび腰をおろした。

二つの影が、ふたりの女の影が、並木のかげから走って出た。と思うまもなく、ありとあらゆる警戒警報のサイレンがいっせいにうなりだした。広場のまわりに弱くまたたいていたわずかな灯火も、このときぱっと消えてしまった。

《いよいよ来たな》と、彼は耳をすまして考えた。殷々《いんいん》たるはるかなひびきが、いま、大地をゆすりあげていた。

うしろのほう、並木のかげには、逃げて行く人の足音、ざわざわとおびえたような人声がやみの中に聞こえて、大ぜいの人々が、息せき切ってやみの中へと駆けこんでいた。

ガブリエル通りには、灯火を消した何台かの自動車が、クラクションを鳴らしながら走っていた。警官の一隊が、歩調を取りながら、アントワーヌのそばを通って行った。彼は、ぐったり肩をおとし、何を見るともなく目をあけながら、あらゆる人間界のできごととは無縁な気持ちで、じっと腰かけたままでいた。

何分かの時がすぎたが、彼は何も気がつかなかった。やがて、遠くへだたってかすれて聞こえる砲声、つづいて、あいだをおいた何発かの砲声が、そうした虚脱状態から引きだしてくれた。

《モン・ヴァレリアン（パリ郊外の丘）の砲列かな？》と、彼は心のうちにたずねてみた。

彼はふと、リュメルの言っていたことを思いだした。海軍省の防空壕。

遠くのほうでは、砲声が殷々《いんいん》ととどろきをつづけていた。彼は、立ちあがると、広場のほうへ向かって、人道のふちまで歩いて行った。いまパリの上には、壮麗な空が息づきはじめていた。地平のあらゆる地点から放射される光の束は、さっと夜空をはきながら、乳色の光芒をのばし、たがいに切りむすび、大胆に、すばやく、そしてときどきためらいがちに、まるで人の眼差しとでもいったように星くずの中にわけ入り、怪しい一点をつかむためにとまったかと思うと、ふたたび、そのすべってやまぬ捜索をくりかえしていた。

アントワーヌは、車道におりたものかどうかけっしかねていた。彼は、首筋の痛くなるほど空を仰いだまま、じっとその場を動かなかった。《家に帰って横になろう》と、彼は思った。《目をつぶろう……催眠剤をのもう……そして寝よう……》だが彼は、なんとも言えぬ倦怠感にからだがしびれて、そのままじっと動かなかった。《家に帰ったほうがいいんだ》と、彼は思った。《せめてタクシーでも見つかってくれたら！》だが、広場は、がらんとして、暗く、ただひろびろとひろがっていた。そして、おりおり、わずかにそれと見わけられるばかりだった。そして、時をおいての探照灯の反射によって、欄干や、青白い彫像や、オベリスク（コンコルドの広場の中央に立っている記念碑）や、噴泉や、高い街灯の陰気な列ととももに、とつぜん、薄やみの中から浮かびあがってみえていた。それはまるで一つのまぼろし、あるいはまた、魔法によって化石にされた町、とりもなおさず、いまはほろび去った文明の廃墟、あるいはまた、長いこと砂中に埋まっていた、ほろんだ町とでもいうようだった。

アントワーヌは、虚脱状態を克服しようと思って勇気をだした。そして、夢遊病者といったように、やおらその死の町へとはいって行った。テュイルリーの一角と河岸《かし》のほうをめざして斜めに行こうと思った彼は、オベリスクめがけてまっすぐに進んで行った。こうしたおだやかならぬ空の下、こうした月の世界を思わせる広場を横切りながら、彼はまるで、はてしない道をたどっているような気持だった。彼は、算をみだして走って行くベルギーの兵士たちの一団に出会った。つづいて、一組の老人夫妻に追い越された。夫妻は、ぶかっこうなようすで抱き合いながら、やみをただよう漂流物とでもいったように走っていた。夫のほうが彼に向かって叫んだ。「地下鉄に待避!」アントワーヌが答えるよりさきに、ふたりの姿は見えなくなった。

空には、目に見えぬ無数のモーターがうなり、それが、大きな、金属性の、たった一つのうなりをなしていた。東と北とでは、はげしい砲声が聞こえていた。防御陣地からの間断ない砲撃だった。一刻ごとに、さらに手近の陣地が砲撃をはじめた。動いてやまぬ探照灯のおかげで、その炸裂は見られなかった。砲声のあいだに、彼はとつぜん、あられたばしるような機関銃の音を耳にした。

《ロワヤル橋のほうへ行こう》アントワーヌは、機械的にそう思った。

彼は、欄干にそいながら河岸《かし》について行った。一台の車も見えず、灯火のかげ一つ見えず、人っ子ひとり見えなかった。狂ったような空の下、地上にはまるで住む人がないというようだった。川と自分とをのぞいて、誰もいなかった。その川は、月に照らされた田舎の川といったように、ひろびろと、いかにもしずかに光っていた。

アントワーヌは、ちょっと立ちどまると、こう思った。《ちゃんと覚悟はできていたんだ。見こみのないことも、はっきりそれとわかっていたのだ……》そして、ふたたび自動人形のように歩きつづけた。

騒音ははげしさを加え、いまでは音の性質を聞きわけることさえできなかった。ところがとつぜん、ずっしりした爆音が、すべての音を圧して聞こえた。それにつづいていくつかの爆音。《爆弾だな》と、思った。《やつら、弾幕を突破したな》ずっと遠く、ルーヴルのほうでは、色花火のようにぽっと赤らんだ空の上に、たちまち何本かの煙突のかげがくっきり浮かんだ。アントワーヌはふりかえった。ルヴァロワ、あるいはピュトーと思われるあたり、あなたこなたに火事とおぼしい赤らみが見えた……《あちらこちら火事なんだな》と、彼は思った。いまは、わが身の危急も忘れていた。まるで盲目的な神の怒りとでもいったように、空一面にひろがっているこの目に見えぬ、何かしらはっきりしない脅威のもと、彼の血しおはこの不自然な興奮によってかき立てられ、そして、彼は、敵意に燃え立つ陶酔感で力を取りもどしていた。彼は、足を早めて橋まで行き、セーヌ川を越えると、バック町の中にはいって行った。バック町は暗かった。彼は、ごみ箱に行きあたった。からだの重心を失うまいと腰にしっかり力を入れると、それがはげしく気管支にひびいた。彼は、探照灯の光にはたかれる家並みのあいだの空をたよりに、人道をすてて車道におりた。と、うしろのほうに爆音が聞こえた。彼は、あやうく人道にもどれた。奇妙な形の、金属性の、きらきら光る自動車が二台、すっかり灯火を消したまま、竜巻のように通って行った。そしてそのあとからは、小旗をつけた自動車が追って行った。

「消防だな」と、そばで誰かの声が聞こえた。引っこんだ入口のところに、ひとりの男が身をよせていた。そして、夕立のすむのを待つかのように、たえず首をのばし、顔を突きだしてのぞいていた。

アントワーヌは、一言もいわずに歩みつづけた。疲れはふたたび、彼の全身をつかんでいた。彼は、舟につながれた引き舟男といったように、ついて離れぬ考えを引きずり引きずり、重い足どりで歩きつづけた。《そうだ、わかっていたんだ……ずっとまえからわかっていたんだ……》こうした絶望、そこには、なんの驚きも見られなかった。衝撃をうけた男らしいようすもなく、ただ、重荷の下に身を屈するといったようだった。動かし得ないおそろしい事実も、それは予期したところとでもいうようだった。フィリップ博士の眼差しにしても、それはこれまでかくされていたものを取りのけてくれ、長いあいだ、無意識のやみに埋もれていた考えを解き放してくれたものにすぎなかった。

ユニヴェルシテ町のかど、わが家へ数歩というところで、はっと恐怖が彼をおそった。わが家の中、そこに待っている孤独のことを思ったとき、とつぜん彼を襲った恐怖だった。彼は、あやうく逃げだしかけ、その場にぴたりと立ちすくんだ。彼はその目を、機械的に、探照灯の光に掃かれている空のほうへあげていた。そして、心に、どこかわが身をよせ得る人、同情の眼差しを求め得る人がいないものかとさがしていた。

《誰ひとり……》と、つぶやくように彼は言った。

彼はしばらく壁に背をもたせ、弾幕射撃の音、飛行機のうなり、ずっしりした爆弾のひびきを頭の中に感じながら、《ただひとりの友もない!》という不可解な事実のことを思っていた。人にたいしていつも愛想よく親切だった彼。患者からもしたわれていた彼。友人たちからも好意を持たれ、恩師たちからも信頼されていた彼。幾人かの女たちから、狂おしいばかりに愛されていた彼。だがそうした彼に、いまはひとりの友もなかった! ぜったいひとりも!……ジャックにしても……《ジャックにしても、おれは友とすることができずに死なせてしまった……》

ふと彼は、ラシェルのことを思いだした。こうした今夜、彼女の腕に身をまかせ、かつてのように、やさしい、燃えるようなあの声で、《あなた!》とつぶやくのを聞くことができたら、どんなにうれしいことだろう! ああ、ラシェル! 彼女はいったいどこにいる? 彼女はいったいどうなったろう? あそこ、わが家においてあるあの首飾り……彼はいま、その過去のかたみを手ににぎり、その玉の一つ一つにふれたい気持ちに駆り立てられた。玉はたちまち、肉体そのままのぬくみをつたえ、においはその人を思いださせて、そこにいるような思いをさせてくれるだろうに……

彼は、やおら心をはげまして壁からはなれた。そして、いささかよろめく足どりで、わが家の門までの何メートルかを歩いて行った。

十五　手　紙

メーゾン・ラフィット

一九一八年五月十六日

ぼくのももをくだいてのけた砲弾の破片は、ぼくを、性をもたぬ人間にしてしまいました。ぼくは、このことを自分の口から打ちあけるだけの決心がつきませんでした。あなたはお医者さんでおいでです。さだめしお察しだったたと思いますが？　あなたと、ジャック君のことをお話ししましたとき、ぼくが、ジャック君の身の上をうらやましいと申しあげたとき、あなたは異様な目つきでぼくをみつめておいででした。

この手紙、どうかご処分ねがいます。人に知られたくないからです。人にきのどくがられたくないからです。命だけは助かりました。国家はぼくを、誰の世話にもならずにすむようにしていてくれます。みんなはぼくをうらやんでおります。そして、それもたしかにもっともです。そう、母が生きているうちは、ぜったいやらないつもりです。だが、いつかそのうち、いなくなりたいと思ったとき、あなただけには、それがなぜだか、わかっていただけると思います。

D・F（ダニエル・ドゥ・フォンタナン）

メーゾン・ラフィット

五月二十三日

アントワーヌさま

これは、おとがめするのではありません。ただ、わたしたちはお案じしているのです。あなたは、手紙をあげると約束してくださいました。ところが、まる一週間、なんのおたよりもありませんでした。ことによると、長いご旅行で、わたしたちの想像以上にお疲れだったのではないでしょうか？

おたずねくだすって、どんなに元気にさせていただけたか、それを申しあげたいと思いますの。これは、口に出して言えないこと、外にあらわすことさえできないことではありますが、あなたがお帰りになってから、自分が、まえにもましてひとりぼっちに思われますの。

ジェンニー

メーゾン・ラフィット

一九一八年六月八日土曜

アントワーヌさま

毎日が過ぎてゆきます。メーゾンからお帰りになってすでに三週間、それなのになんのおたよりもありません。とても心配になりだしました。おたよりのないこと、おからだぐあいのためとしか思われません。どうかほんとうのことをお知らせください。

ジャン・ポールは、扁桃腺炎で、数日にわたってえらい熱をだしました。いまはずっとよくなりましたが、まだ部屋からは出さないでおります。そのため、家の中は、いささか落ちつかずにおります。この一週間寝ていたあいだに、とても大きくなったようだと、これはみんなの印象です。そんなことのあり得るはずはないのですが、でも、わたしにも、病気をしていたあいだに、ずいぶん知能が発達したように思われます。本の中の絵とか、ダニエルにかいてもらった絵とかについて、あの子なりに、いろいろ話を組み立てては、その説明をしております。どうかお笑いにならないで。あなただけにしか申しあげられないことなのですから。三歳にしては、おどろくほどの観察眼です。とても利口になるでしょう。

そのほかには、何も変わったことはありません。病院には、場所をつくるため、快癒期にある者をなるべくたくさん退院させるようにという命令がありました。そのため、この先まだ十日から二週間休養できると思っていた人たちを送りださなければなりませんでした。毎日毎日、新しい患者たちが送られてきます。そして、ママは、ご近所のイギリス人から、目下あき家になっている藤棚つきの小さな別荘を貸していただくことにしました。これで、ベッドが二十台、おそらくそれ以上すえられることになりましょう。ニコルのところへは、ご主人から長い手紙がとどきました。ご主人の外科自動車班は、シャンパーニュからベルフォールのほうへ移ったとのこと。シャンパーニュでの損害は、身の毛がよだつほどだと書いてあります。いつまでつづくことでしょう？　こうした悪夢が、はたしていつまでつづくことやら？　毎日パリへかよっているメーゾン・ラフィットの人たちの話だと、砲撃の結果、パリの士気もずいぶんさがりはじめたとか。

アントワーヌさま、重いぶり返しでお苦しみであったにしても、どうかほんとうのことをお知らせください。わたしたちを、いつまでも、こうしたたよりない気持ちのままにさせておおきにならないで。

お友だちの

ジェンニーより

グラース発、一八・六・一一

ケンコウ・ハッキリセズ・タダシ・モッカノトコロ・トクニ・アクカノモヨウナシ――チカク・フミ

チボー

ル・ムースキエ
一九一八年六月十八日

いよいよ手紙をあげる決心がついた。ぼくのため、こんどの長い旅行のことを懸念してくれたのも、まさにむりのないことだったと思っている。帰って来るなり、かなり重い危険信号が、憂慮すべき体温の動揺をともなって、ぼくを病床につかせてしまった。新しい療法、きわめて熱心な手当のおかげで、どうやらも一度病状の昂進をくいとめることができたらしい。一週間まえから、ふたたび起きあがることができ、少しずつまえの生活を取りもどせている。

だが、ぼくの沈黙は、そうしたぶり返しのためではないのだ。あなたは、ほんとのことを言ってくれと言っている。つまりこうだ。このぼくに、あのおそろしいことがやってきたのだ。ぼくは、自分の《だめ》だということを知らされ、そして、そのことがわかった。もう取り返しがつかないのだ。それは、このさき何カ月かつづくだろう。どうしたところで、なおる見こみはなくなったのだ。

ぼくの気持ちにならないかぎり、とてもわかりっこないことなのだ。こうしたことがはっきりわかって、すべての拠点がすっかりくずれてしまった感じだ。

つつみかくさず、こんなことを聞かせることをゆるしてほしい。命長からずと知ったものには、すべてはぜんぜんどうでもよく、身にかかわりのないことなのだ。また手紙を書く。きょうのところは、これだけがやっとだ。

このたより、どうかあなたの胸だけにしまっておいてくださるよう。

アントワーヌ

ル・ムースキエ

一九一八年六月二十二日

ちがう、ジェンニー。あなたが考えておいでのように(ないしそう考えていると見せかけておいでのように)、ぼくは、ありもしない恐怖を向こうにまわしてじたばたしているわけではない。勇気をだして、もっとくわしく説明すればよかったのだ。きょうは、もう少しくわしく書くことにしよう。

ぼくはいま、一つの現実の前、一つの確たる事実の前に立っている。それは、あなたと別れた日、そしてパリですごした最後の日、老フィリップ博士と話しているあいだに、ぼくの身の上に落ちてきたのだ。今度という今度はじめて――それはたしかに、博士の前に出てとつぜん両面観察を行なうことができたおかげと思うのだが――ぼくは、自分自身の症状について、客観的な、明快な判断、医者としての診断をくだすことができたのだった。事実は、一閃《いっせん》の電光のようにぼくの目の前にしめされたのだ。

こんどの旅行中、ぼくは、そのことを十二分に考えてみるだけの暇をもった。ぼくは、事のはじめから毎日毎日書きとめておいたノートを持って行っていた。それを手にすると、一日ごとに、発作のたびごとに、病勢が、規則正しく、間断なく昂進しているあとを追うことができるのだ。それにぼくには、この冬つくった文献目録があった。それには、毒ガス使用がはじまって以来、専門雑誌にあらわれた英仏両国の医学報告、あらゆる臨床報告のほとんど全部がおさめてある。それら、ぼくのすでに知っていたすべてのものが、新しい光のもとに、ぼくの目の前にしめされたのだ。そして、それらすべては、ぼくの確信を裏書きしていた。ここに帰ってから、ぼくは自分の症状について、世話をしてもらっている専門家たちと論じてみた。それは、これまでのように、自分が回復途上にあるものと信じ、自分の信念をたしかめてくれるあらゆるものをうのみにしていた患者としてではなく、すべてを知り、すっかり身がまえのできている、そして親切ごかしの嘘などではもはやだまされない一個の同僚としての態度でだ。ぼくはたちまち、彼らをして、あいまいな態度から、意味深長な沈黙に、さらには、なかば泥を吐くところまで追いつめてやった。

いま、ぼくの確信は、一点論議をゆるさない基礎の上に立っている。この六カ月以来の中毒症状の経過を見るにつけ、その間断ない悪化のあとを考えるとき、ぼくにはもはやなおる機会——厳密に言ってそのいささかの機会さえも残されていない。終生病人でいられるような、慢性的な、停頓した状態さえもゆるされていない。そうだ、ぼくはいま、斜面におかれた一つの玉——だんだん速度を増しながら、下まで転落して行く運命にあるのだ。いったいどうして、長いあいだだまされていたのか？しかも自分は医者なのに。これはなんともお笑いぐさだ！　いつまでもつか、そこのところはわからない。それは、この先いやおうなしにおこる発作、そのはげしさ、またそれがおさまっていてくれるあいだの長短によってきまるのだ。ぶり返しの模様、一時的な手当の奏効いかんで、二カ月、ないし——ぎりぎりのところ——一年くらいは生きられよう。だが、最終期限はきまっている。そして、それはすぐ目の前にせまっている。ある種の病気の場合には、あなたがたのいわれる《奇跡》なるものもおこり得るだろう。だが、ぼくの場合、それはぜったいあり得ないのだ。科学の現段階から考えて、そこにはわずかの希望さえもゆるされていない。だが、こんなことを書いたにしても、それはなにも、最悪の病状を訴え、それによって、何かしら安心できるような反対の言葉を求める病人としてのことではない。はっきりきまった不治の病気をまえにして、十二分な確証をつかんでいる臨床家としてのことなのだ。そして、ぼくが、平然こうしたことが言えるというのも、それは……

六月二十三日。昨日書きさしたまま、途中でやめてしまった筆をふたたびつづける。長く注意を集中するには、まだまだ自分のからだになりきっていない。もっと何かを言うつもりだったが、それもいまでは思いだせない。ぼくは、《平然》と書いた。運命を前にしてのこの比較的な冷静さ——なさけないかな、きわめて不安定な冷静さだが——ぼくがここまで達するには、おそろしいほどの心の革命を必要とした。

毎日毎日、そしてまた、いつはてるともない不眠の夜、ぼくは深淵の底で暮らしていた。まさに地獄の責苦だった。それを思うと、いまでもぞっとするほどの寒けがしてきて、全身がたがたとふるえてくるのだ。これは誰にも想像できない。いったいどうしたら気が狂わずにいられよう？　どうしたふしぎな筋みちで、ああした極度の絶望・反抗の気持ちから、こうした忍苦にまでたっすることができたのだろう？　その説明はぼくにはできない。つまりは、事実のしめす明白さが、理性的な頭脳にたいして、無限の力を有している結果にほかならないのだ。それにまた、人間の本性は、きわめて伸縮自在な順応性を持っていて、そうしたこと、つまり十二分に生ききらないうちに死んでいくこと、自分が持っているつもりの大きな可能性を、何ひとつ実現しないで死ぬことにも、なれきれるからにほかなるまい。それに、いまのぼくには、そうした変化の段階を、思いだすことさえできないのだ。こうしたことは、ずっとまえからつづいていた。激しい絶望の発作のあいだに、ときどき虚脱の時期があった。そうでもなければ、とうていこらえきれるものではなかった。こうした状態が、数週間にわたって引きつづいた。そして、そのあいだ、肉体的な苦痛と手当のつらさが、別の苦しみ——ほんとの苦しみをまぎらしてくれた。次第次第に、心の張りがゆるんでいった。そこには、なんらストイシズムといった気持ちもなく、ヒロイズムといった気持ちもなく、いさぎよいあきらめといった気持ちもなかった。むしろ感覚の摩滅とでもいったようなもの。そこからは、なんの反応もない状態、無神経な状態、さらに的確にいえば一種の麻痺状態の徴候が出てきた。それにたいして、ぼくの理性はなんの役にもたたなかった。意思の力にしても同様だった。この数日来、ぼくはただ、意思の力を、そうした無感覚な状態を持ちつづけるためだけに用いている。ぼくは、生活を少しずつ取りもどしていきたいとつとめている。まわりの人たちとの接触も、もとどおりにしたいと思っている。ぼくはベッドをのがれ、部屋をのがれるために起きるのだ。そして、自分というものをおさえて、ほかの連中といっしょに食事をする。きょう、ぼくはしばらくのあいだ、仲間の連中がブリッジをやっているのをながめていた。そしていま、夕方、ぼくはあなたへの手紙を書いている。たいして苦にも思わずに。それどころか、むしろふしぎな、新しい楽しさとでもいった気持ちで。ぼくは、この手紙を、戸外で、糸杉の並木のかげで書き終わるつもりでやってきた。並木のうしろでは、看護兵たちが、毎日曜日の玉ころがしゲームをやっている。ぼくは、はじめ、そうした楽しさ、勝負についての言いあらそい、また笑い声など、とてもがまんができないだろうと思っていた。ところがぼくは、やっぱりここにいようと思った。そして、わけなくここにいることができた。こうして、また新しい均斉が、どうやら立ちもどってきてくれそうなんだ。

それにしても、そうした努力の結果として、ぼくはかなり疲れている。また改めて書くことにしよう。ぼくの気持ちが、いまでも誰かに興味がもてるとしたら、それはまさしくあなたにたいし、またあなたの愛児にたいしてだけだ。

アントワーヌ

ル・ムースキエ

六月二十八日

けさからかけて、ぼくはあなたの手紙を幾度となく読み返した。それは単に率直な、りっぱな手紙というだけではなかった。それはまさに、ぼくがのぞんでいたような手紙だった。ぼくのまさにねがっていたようなあなた、そして、ぼくがそうと思っていたようなあなただった。ぼくは、あなたへの手紙を書こうと、夜になるのを、家の中の静かになるのを待っていた。それは、必要な手当をすっかりおわり、看護兵の見まわりもすみ、さてそのさきは、ただ不眠と——亡霊どもを待つばかりといったような時……。あなたあればこそ、ぼくは——そうだ、ぼくは、勇気が持てる、と書きかけていた。ところが問題は、その勇気にあるのでなく、ぼくが必要とするのも勇気ではないのだ。そうだ、それは、自分に誰かがいてくれるということ、そして、このさき数カ月もつづく対決のあいだ、せめて自分が少しでもひとりぼっちの気持ちでいたくないといった気持ち。ところで、あなたにこのことがわかるだろうか。ぼくはその数カ月を、あえてちぢめようとは思っていない！　自分にゆるされたその猶予期間を、あえてなげうとうなどとは思わないのだ！　ぼくは、われながらおどろいている。あなたもおわかりのことと思うが、はやくけりをつけようと思えば、その方法がないこともない。しかるに、ぼくは、その方法を、もっとあとにのばそうと思っている。いまはやるまい。ぼくは、その猶予期間を受け入れる。そして、それにかじりつく。どうだ、ふしぎだろう？　命にはげしく執着するとき、人は誰しも、それからたやすくは離れ得ない。しかも、命が失われようとしている場合、さらにいっそうそうなのだ。雷火に撃たれた樹木の場合、樹液は、引きつづく何年かのあいだ、春来るごとにのぼりつづける。そして、その根も死んでしまわないのだ。

だがジェンニー、あのうれしい手紙に、ただ一つだけ不服があった。ジャン・ポールの消息の見えなかったことだ。まえの手紙で、あなたは、たった一度だけ、彼のことを知らせてくれた。その手紙を受けとったとき、まだたまらない孤独の気持ち、すべてを拒絶したい気持ちだったぼくは、まる一日、ことによったらもっと長いあいだ、手紙の封を切らずにおいた。だが、ぼくはとうとうそれを読んだ。そして、ジャン・ポールについてのところを読んだ。そして、ぼくははじめて、ちょっとのあいだ、ついて離れぬ考えを忘れ、憤激を忘れ、そして、ほかのことに興味をつなぎ、ふたたび外の世界に感動することができたのだった。そのとき以来、ぼくはいつでもジャン・ポールのことを思っている。メーゾン・ラフィットにいたあいだ、ぼくは、彼をながめ、彼に触れ、彼の笑い声を耳にしていた。ぼくは、いまなお、彼の筋肉のふるえを指に感じる。彼のことを思うとき、ぼくの目の前には彼が浮かぶ。そして、そうした彼を中心として、かずかずの考え、将来の計画が組み立てられる。死ぬときまったひとりの男が、執行猶予中のひとりの亡者が、しかも、こうしたさまざまな計画、希望を組み立てずにはいられないとは！　ジャン・ポール、ぼくは、彼が存在し、彼がいまや生活をはじめ、そして彼のゆくてにぜんぜん新しい生活のあることを思っている。そして、このことこそは、いまのわが身にはゆるされない、未来へのはけ口にほかならないのだ。病人の夢？　そうかもしれない。それでもいいのだ。ぼくはいま、昔とちがって、あえて感傷的であることをおそれていない。（これはたしかに病人の弱さだ！）ぼくはほとんど睡眠がとれない。だが、まだまだ薬の助けは借りたくない。とはいえ、それの助けを借りるときも、ほどなくやってくるだろう。

順応のための努力というやつ、ぼくはそれを秩序正しくつづけている。そうするための意思の操作、それすらなかなか効果がある。ぼくは、またもや新聞を読みはじめた。戦争のこと、フォン・クールマンのドイツ議会での演説のこと。国家間の平和は、一国家にして、相手国の提唱のすべてを、最初から一つの策動、ないし意気阻喪させるための攻勢であると考えているうちはとうてい得られるものでないと言っているあたり、彼の言葉はきわめて正しい。連合国側の新聞は、またもや世論をだまくらかそうとかかっている。ところが、彼の演説には、なんら《挑戦的》なところがない。それは、和協的とさえいっていいもの、意味深長なものなのだ。

（こんなことを書くというのも、ちょっと皮肉な気持ちからだ。ついて離れぬ戦争への気持ちが、ぼくの心から、影をひそめたわけではない。おそらくそれは、死ぬまで心からはなれまい。だが、目下のところは、つとめて考えているといった感じだ。）

きょうはこれまで。おしゃべりをしたので気持ちがいい。近いうちにまた話そう。おたがいこれまでたいして知りあう機会がなかった。だが、あなたの手紙がとても心をなごめてくれた。そして、いまはこの世の中で、あなたばかりが《友だち》といった気持ちなのだ。

アントワーヌ

ル・ムースキエ
六月三十日

ジェンニー、あなたはびっくりするにちがいない。きのうの午後、ぼくが何をしたかわかるかしら? 計算をしたり書類をしらべたり、何通となく事務的な手紙を書いたり。ぼくは、五、六日まえからそれをしようと考えていたのだ。それは、物質的な問題をかたづけておきたいという焦燥感のようなもの。死後のため、すべてをきちんとしておいたと思いたい気持ちなのだ。も少しすれば、とてもこんな努力はできそうにない。で、そうした気持ちが、ふと思いたたせてくれたのを機会に、それを利用しようと思ったわけだ。

こんな手紙を書くことをゆるしてほしい。何はともあれジャン・ポールの保護者であるあなたに、ぼくの資産状態を知らせておきたい。というわけは、ぼくの資産は、当然ジャン・ポールにゆくわけだから。

とはいえ、いまではそれもたいしたものとはいうことができない。父から残された株券にしても、それはぜんぜん残るまい。パリの家を改造するため、大穴をあけてしまったから。そのうえぼくは、残りの部分を、うっかりロシア公債に切りかえてしまった。これは、ぜったい返るまい。ユニヴェルシテ町の家と、メーゾン・ラフィットの別荘だけが、さいわい手つかずにすんだのだ。

家のほうは、貸してもよし、売ってもよかろう。その収入で、なんとか暮らしが立つだろうし、ジャン・ポールに相当な教育もさせてやれよう。贅沢はさせてやれまいが、それもかえっていいことなのだ。まさか貧乏にしめあげられて、手も足も出ないことにはなるまいから。

メーゾン・ラフィットの別荘は、戦争がすんでから売るがいい。新興成金というようなやつらが、食指を動かすにちがいないから。せめてそれくらいのしろものなのだ。ダニエルから聞いたが、お母さまの家は、抵当にはいっているということだ。ぼくの見たところ、お母さまもあなたも、あの家にとても心を引かれておいでのようだ。それならそれで、ぼくの別荘を売った金で、その抵当をぬくことにしたらつごうがいいだろうと思うのだが？　そうなれば、ご両親の家は、はっきりジャン・ポールのものになるのだ。この案を、どういうふうにして実現させるか、公証人にたずねてみよう。

ぼくが残せると思うもののだいたいの評価ができたうえで、ジゼールにやりたいと思ういささかの年金の額をきめよう。あなたには、ジャン・ポールが丁年になるまで、全部の管理をお願いしたい。公証人のベーノー氏は、かなり気の小さい、いささか形式にこだわりすぎる人ではあるが、信用のできる、要するに、親切に相談にのってもらえる人だ。

以上が、ぼくとしてあなたに言いたいと思っていたことの全部だ。これが言えたのでほっとした。これからさき、最後にはっきりしたことがきまるまで、あらためて何も言ってあげないことにしよう。ただし、四、五日まえから心について離れない考えが一つ。それは、あなた自身に関すること。とりわけ微妙な問題だが、ぼくとして、やはり話さずにはいられないのだ。だが、きょうは、それだけの勇気がない。

いま、新聞を持って、オリーヴの木かげで二時間をすごしてきたところだ。ドイツ軍が動かずにいることの裏には、どうしたたくらみがあるのだろう？　モンディディエからオワーズ川へかけてのわが軍の抵抗は、みごとに彼らの進撃をはばんだらしい。それにまた、オーストリア軍も失敗している。

これはたしかに、敵にとっての思いがけない大痛事といえるだろう。アメリカ軍の参加に先だち、敵の夏季攻勢が決定的成功をおさめることができなかったら、形勢はたちまち一変しよう。ところでぼくは、それを見るまで、はたして生きていられるだろうか？　《歴史》をつくりあげるさまざまなできごと、それを個人の目でながめているとき、それはなんともどかしいことだろう。四年このかた、ぼくは幾度もじりじりさせられたものだった。しかもいま、命長からずときまってなおさら！……

それにしても、目下、一時的な小康状態にあるらしいことをお知らせする。これははたして、新血清のおかげだろうか？　呼吸困難の発作も、いままでほどには苦しくない。熱の発作も、いままでよりは間遠になった。以上が肉体方面のこと。いっぽう《士気》の点にかけては――これは、死地におもむく兵士たちの忍従精神を測定するため、最高司令部がいつも用いる言葉なんだが――これまたずっと良好だ。あなたにも、この手紙をとおして、それを感じてもらえるだろうか？　こうした長い手紙を書くということ、それもつまり、あなたと語るのが楽しみであることの一つの証拠、たった一つのぼくの楽しみ。だが、ここらで筆をとめなければ。手当の時間になったから。

あなたの友なる

アントワーヌ

その手当、ぼくはまえと変わりなく、きわめて熱心につづけている。妙だろう？　ところで、ぼくにたいする医者の態度に、ふしぎな変化が見られている。たとえば、目下の病状に好転のきざしをみとめていながら、そのことをぼくに言おうとしない。そして、《それ見たまえ……》とも言ってくれない。それでいて、まえよりしげしげやって来る。新聞、レコードを持ってきてくれ、あらゆる親しみをしめしてくれる。これは、あなたのおたずねにたいするぼくの答えだ。ほかのどこをたずねてみても、おさらばの時を待つのに、ここ以上に快適なところはないようなんだ。

シャラント・アンフェリウール県
ロワヤン第二十三病院
一九一八年六月二十九日

先生

一九一六年の秋以来ギニアを去ってしまいましたので、先月お差しだしのお手紙は、ここに回送されてはじめて拝見いたしました。ここで外科病室の看護婦をつとめております。お手紙にありました小包のこと、おぼえております。ただし、記憶がどうもはっきりいたしませんので、お望みどおりのくわしいご報告はいたしかねます。先生あての小包をお託しだったかたは、ほとんど存じあげないかたでございました。黄熱病の重症患者として病院においでになりましたが、ドクトル・ランスロのお手当にもかかわらず、ほんの幾日かでおなくなりになりました。たしか一九一六年の春のことだったとおぼえております。コナクニに寄港した船から、いそいでお下ろされになったことをはっきりおぼえております。あの品と先生のご住所とは、わたくしが夜の宿直にあたっておりましたとき、ほんのちょっと意識をおとりもどしになったとき、おわたしになったものでございます。と申しますのは、そのかたは、ずっと人事不省をつづけておいでになりましたから。それにしても、先生に何か申しあげてほしいとは、たしかにおたのみになりませんでした。船が寄港しましたときはひとり旅でおいでのようで、二日から三日にわたるご危篤のあいだ、どなたもたずねてお見えになりませんでした。たぶん、ヨーロッパ人墓地の共同墓所にお葬りしたことと思います。病院事務長のファブリさんが、まだあの地においでのようでしたら、お名まえ、それにおなくなりになった日のことを帳簿でおしらべくださると思います。以上のほか、べつにお知らせ申すほどのことはおぼえておりません。なんとも残念に存じます。

リュシー・ボネ

封じてから、も一度開きました。それは、そのご婦人が、イルトとかイルシュとかいう、大きなブルドッグをつれていらしたことをお伝えしたかったからでございます。意識をおとりもどしになることに、ひっきりなしに、その犬を呼んでほしいと言っておいででした。でも、病院の規則もあり、それに、手におえない犬でもありましたので、とても病室には置けませんでした。同僚の看護婦さんで、ひとり引きうけようといったかたもございましたが、とても手こずってしまい、なんとも始末におえませんので、とうとう毒だんごをたべさせました。

十六　アントワーヌの日記

七　月

ル・ムースキエ

一九一八年七月二日

夜も終わりに近く、たったいま、ちょっとうとうととしたあいだにジャックの夢を見た。もうその話の筋をたぐりあわせることもできなくなっている。昔、ユニヴェルシテ町の階下の部屋でのことだった。そのことから、おれは、ふたりがいっしょに、きわめて身近に暮らしていたころのことを思いだした。いろいろな思い出のなかでも、とくに、少年園を出てきたジャックをおれの部屋に引きとった日のこと。しかも、おやじの監督からのがれさせてやろうと思って、それを思いたったのはこのおれだった。それでいて、鼻持ちならぬ反感、利己的な後悔の気持ちをおさえることができなかった。いまでもよくおぼえている。おれは心にこう思った。《よかろう。おいてやろう。だが、そのため、おれの習慣、おれの仕事がじゃまされないようにしなければ。おれの成功がじゃまされないようにしなければ》成功！　一生を通じて、おれはいつでも《成功》の二字をくり返してきた。おれにとっての合い言葉、そして、唯一無二の目的。そのためにささげられた十五年の努力……しかもいま、このベッドの上で、けさ、その成功の二字がなんとばかばかしくひびくことか！……

このノート。きのう、会計の男にたのんで、グラッスの文房具屋で買ってきてもらった。病人の、子供らしさ。そうかもしれない。だが、ともかくやってみることにしよう。ジェンニーへの手紙を書いてから、おれには、思っていることを書くことによって、何か心が楽になるのがわかった。おれは、十六になったときでさえ、フレッド、ジェルブロン、そのほかいろいろな連中がやっていたように、ついぞ日記というものを書こうとしなかった。いまではいささかおそすぎる感じ！　だから、日記というわけでなく、気の向いたときに、心に浮かんだ考えを書きつけていこうと思うのだ。たしかに、健康にもいいだろう。病人とか、不眠になやむ者とかの頭の中では、すべては強迫観念といったようなものになってくる。書くということ、それによって解放されるのだ。それに、気もまぎれるし、退屈しのぎにもなる。（退屈しのぎ。かっては時間の短すぎるのを嘆いたおれが、いまさらそんなことを考えるなんて！　戦線にいたときでさえ、それに、療養所での冬のあいだでさえ、おれには一刻たりともひまがなく、時間のたつのに気がついたことがなく、現在ということを考えたこともなく、一生いつもそうだったように、絶えずせき立てられて暮らしてきた。そして、いよいよ自分の死期を目の前にひかえて、はじめて時間がとても長いものに思われだしてきた。）
可もなく不可もなしの一夜。朝の体温、三十七度七分。

夜

呼吸困難再発。体温三十八度八分。肋間に痛みをおぼえる。肋膜に故障があるのではないかと考えてみる。

さまざまな亡霊、それをここに書きとめることによって追っ払ってしまおう。

一日じゅう、相続問題が頭についてはなれなかった。自分が死んだ場合の処置のこと。（いつも執念ぶかく心にかかるこの処置の問題！ だが、こんどの場合、それはおれ自身のためではない。それは彼らふたりのため、とりわけジャン・ポールのためなのだ。）幾度も幾度も勘定をしなおした。メーゾン・ラフィットの別荘売却のこと、ユニヴェルシテ町の家からあがる家賃のこと、実験室の設備や材料売却のこと。もし家の借り手に、化学薬品の製造業者でも見つけられなかったら、そのときはステュドレルが適当に取りはからってくれるだろう。だめだったら、器械の取りはずしを指図して、買い手を見つけてくれるだろう。

そのステュドレルのことも考えてやらなければ、戦争がすめば、職もなく、無収入になるだろう。

ステュドレルと、そしてジュスランとに、文献やテストの処置について書きのこすこと。（医学部図書館にでも残したものか？）

七月三日

リュカが、血液検査の結果をわたしてくれた。断然よくない。バルドーにしても、例の引きのばすような声で《どうもおもしろくない》と白状せずにはいられなかった。かつてのすばらしかった自分の血！　最初の負傷の後、あのサン・ディジエでの予後の経過がよかったとき、自分のからだになんと自信が持てたことか！　癒着の早さを目の前に見ながら、自分の血液の優秀さについてなんと得意になったことか！　そうだ、ジャックも。とりもなおさずチボー家の血。

バルドーに、肋膜に合併症でもあるのかと聞いてやった。《これで、化膿でもしようものなら万事休すだな……》バルドーは、人のいい巨人といったような肩をすくめてみせながら、たんねんに診察してくれた。そして、なんら心配の要なしと言ってくれた。

チボー家の血！　ジャン・ポールの血！　かつてのりっぱな自分の血、われら一家の血、それはいま、ジャン・ポールの血管の中を、えらいいきおいで駆けめぐっている！　戦争中、おれは、死んでもいいと思った日は一日もなかった。一度だって、たとい十秒のあいだでも、命をすててかまわないとは思わなかった。いまも、それと同様だ。おれは死にたくないと思っている。といっても、もはや夢を見ていることはゆるされない。いやおうなしに、避けられない運命を認め、それを待たなければならない。それでいながら、あきらめの気持ちから、それを承認し、それと腹をあわせるわけにはいかない。

午後

おれは、理性とか英知とかがいかなるものであるか、見識とはいかなるものであるかを知っている。それは、この世界を、そしてその絶えざる流転を、それ自身として考察し直すことができることに存している。すなわち、このおれ自身をとおしてでなく、また、わが身にせまりつつある死をとおしてでなく、このおれ自身は、宇宙にあってとるにたりない一分子にすぎないことを思うことにある。しかも、それはできそこなった一分子なのだ。それもいまさらしかたがない。自分の死後、ずっと続くであろうそのほかのものにくらべて、それにはたしてどれだけの価値があり得るというのだ？　とるにもたりない……そうだ。それなのに、おれはそれをとても重いもののように考えていた！

それにしても、やってみること。

《自分個人に目をくらまされてはならない》

七月四日

けさ、ジェンニーからのいいたより。ジャン・ポールについていろいろたのしい報告。おれは思わず、その幾節かをゴワランに読んで聞かせずにはいられなかった。ゴワランは、自分のふたりの子供を夢中になって愛している。ジェンニーに、ぜひジャン・ポールの写真をとらせなければ。

それに、おれも、ジェンニーに例の《手紙》を書く決心をしなければ。これはなかなかむずかしい。

ひと晩ぐっすり眠れたうえでだ。

その血を引くフォンタナン、チボーの両家にして、たいしたものを残さずに消滅していこうとしていたおりもおり、あの子がこの世に生まれてきたことはまさに奇跡だ。これ以外、何ひとつ適当な言葉が見あたらない。母かたの遺伝として、あの子ははたしていかなるものをもらっているか！　ねがわくばそれが最もよき素質であってくれるように。だが、すでにおれが、それにちがいないとにらんでいるのは、あの子がまさにわれら一家の血をうけているという事実だ。決断に富み、意思がつよく、そして聡明。まさしくジャックの息子であり、まさしくチボー家のひとりなのだ。

このことを、日がな一日考えつづけた。われらの家族の切株から、おりもおり、この新しい小枝を生みだすにいたった思いもかけぬ樹液のほとばしり……これをもって、なにものかに、何か創造のおもわくに答えたものだと考えることは、はたしてばかげたことだろうか？　家族としての驕慢心？　そうかもしれない。そして、ジャン・ポールこそは、まさにあらかじめその運命を託されているもの、チボーなる種の完全な型をつくりだすため、そこに目に見えない種族の努力が集められたもの、自然によっていつかは作りあげられるはずだった一つの精華、そして、おやじも、弟も、またこの自分も、けっきょくそれを準備するために生まれてきたのだったと考えるわけにはいかないだろうか？　この子以前に、すでにわれらの中に見られていたあの集中的な気性のはげしさ、たくましさ、それがいまこそ、真に創造的な力となって、発露しようとしているのではないだろうか？

眠れない。《追っぱら》わなければならない亡霊ども。

すでに一カ月半まえ、七週間まえから、おれは、自分がもうだめだということを知っている。《自分がもうだめだということを知っている》というこの言葉、いま書いているこの言葉、それはほかの言葉とべつになんの変わりもなく、誰でもわかったような気がしていて、その実、死の宣告を受けているもの以外、誰ひとり、完全にその意味をつかむことができないのだ……一個の人間の中に、たちまちにして全面的な空虚をもたらす電撃的な革命。

それにしても、たえず死と接触しているはずの医者でいながら……《死》とだって！　だが、それは単に他人の死の場合にかぎられているのだ！　おれは、すでに幾度となく、肉体的にあきらめられないのがなぜであるかを考えてみた。（それはおそらく、自分の生活力の特殊性にもとづくもののように思われる。そのことを、今夜ふっと思いついた。）

あの昔の生活力――事を計画するにあたってのあの活動性、疲れを知らぬあのはずみかた――それは大部分、創造することによって自分を延長したいという気持ち、《生きながらえる》ことの必要に出たもののように思われる。消えてなくなることにたいしての本能的な恐怖。（もちろんこれはかなり一般的なものではある。だが、程度にさまざまの区別があるのだ。）おれの場合、これには遺伝的な傾向がある。しみじみおやじのことが考えられる。自分の事業に、徳行賞に、クルーイの広場に、自分の名をかぶらせたいという、いつもおやじの頭をはなれなかった気持ち。まさに彼自身それを実行したように、少年園の建物の正面に自分の名（オスカール・チボー事業団）を刻ませたいといった気持ち。自分の洗礼名（戸籍上の身分の中で、それだけはたしかに彼のものにちがいなかった）を、孫子のすべてにつけさせたいといった気持ち、等々……自分のモノグラム（その名の頭文字を組み合わせたもの）を、庭の鉄門に、皿の上に、さらには自分の安楽椅子の張り皮の上にまでつけさせた習癖！　そこには、所有者としての本能（ないし、おれが最初考えたように虚栄心のあらわれ）以上のものがあるのだ。すなわち、消滅とたたかい、自分の足跡を残したいといった悲壮な欲望。とりもなおさず、このおれにも譲られている欲望。おれにしても、自分を後世につたえる何かの仕事、何かの発見に、自分の名をつけたいという隠れた希望を持っているのだ……

《親の根性、孫子まで！》

七週間、そのあいだ、前後五十日、昼となく夜となく、あの《厳たる事実》との面壁だった。一刻たりともたゆたい、疑い、夢をいだくことをゆるされなかった。それでいて——おれは、このことを書いておきたいと思っていた——こうした、ついてはなれぬ考えに悩まされながら、そこには、いつもちょいと息のつけるような時があるものなのだ。それはほんの短い時。それは、忘れている時ではなく、ただ固定観念が顔をひっこめてくれるとき……このごろ、しかもひんぱんの度をだんだん加えながら、二分か三分、長くて十五分か二十分、死ぬという事実が正面からひっこみ、ただ細ぼそとその存在をしめしているにすぎないようなときがある。そうした時には、おれは、たちまち、動いたり、落ちついて読書をしたり、書いたり、聞いたり、議論したり、さらには、まるでからだのぐあいから解放してもらえたといったように、自分の病状とぜんぜん無関係なことに興味を持つことができる。それでいて、固定観念が依然としてそこにあることに変わりはない。そしておれは、それが絶えず、予備隊として後陣に控えていることを感じている。

(それがちゃんと控えているのだといった感覚、おれは眠っているあいだもそれを感じている。)

七月六日、朝

木曜以来快い。苦しみが軽くなりだすやいなや、何から何までほとんど快適に思われてくる。けさの新聞には、ピアーヴェ三角州地区でのイタリア軍成功の記事が載っていた。それがおれに、いままですっかり忘れていた一種の楽しい気持ちをおこさせてくれた。さい先よし。

きのうは何も書かなかった。外へ出てから、ノートを部屋においてきたことを思いだした。取りに行くのはおっくうだった。だが、午後を通じて、それがないという気持ちにとらわれどおしだった。どうやらこうした気晴らしがおもしろくなってきたらしい。

きょうはほとんど筆をとるひまがなかった。黒いほうのメモに書いておくべきことがいやというほどある。このノートを買ってから、メモのほうをすこしおろそかにしていたことに気がついた。きわめて短い記入だけですませていた。だが、メモのほうこそ力を入れなければならないし、またまず第一にしなければならないのだ。つまり、はっきり二つにわけること。ノートのほうは、《亡霊》に関するもの。メモのほうは、健康、体温、手当、治療効果、副次的反応、呼吸困難の経過、バルドーとかマゼとかと取りかわした議論そのほかに関するもの……おれ自身その価値を誇張して考えているわけではないが、毒ガス患者であると同時に医者である自分の手により、発症第一日から毎日正確に記入されたそうした記録は、現在における科学の段階から考え、争う余地のない、有益な臨床観察の全体をなすものだろうと思われる。とくにおれが、それを最後までつづけた場合。バルドーは、『会報』に掲載させると約束してくれた。

きのう、でぶのドラエーが出かけていった。予後休暇だ。彼自身では、すっかりなおりきったものと思っている。あるいはほんとうにそうかもしれない。お別れのあいさつにきてくれた。おどおどして、まるで、時間におくれかけて気がせいているとでもいうようだった。《また会おうぜ》とも、ないし、それらしい言葉も、何ひとつ口にしなかった。おりから部屋をかたづけてくれていたジョゼフも、そのことに気がついたらしかった。ドアがしまるが早いか、時をうつさずこう言った。《ほうら、やっぱり、なおるんですな!》

おれは、さっき次のように書きかけていた。《おれがまだ生きているというのは、それはメモのためなのだ》と。この辺で、自殺の問題をはっきりさせておいたほうがいいと思う。そして、メモというのも、じつはひとつの口実にすぎなかったことをあっさり認めなければ。自分自身にたいしてお芝居をやっていることなのだ！　なんという奇怪千万なことだろう。おれは、自分が、ほんとうに自殺しようなどと思ったことのないのを白状したくないと思っている。そうだ、どんなにつらかったときでも。もしおれにしてそのことをやるとしたら、それはパリで、注射薬を買ったあの朝だろう。……汽車に乗るまえ、おれはたしかにそのことを考えていた……そして、その朝から、おれは自分にたいして、メモのお芝居をはじめたのだ。さも、おれには、この世から姿を消すに先だち、自分として最後にしておかなければならないことがあるかのように思って。さも、しておかなければならないたいせつな仕事があるかのように思って。さも、この臨床的メモの重要性が、その誘惑に抵抗し、それを押しのけるだけの価値を持ってでもいるかのように思って。勇気がないというのだろうか？　ちがう。たしかにちがう。もしあの誘惑にして真実のものであったら、おれは恐れの気持ちからそれを思いとどまったりはしなかったはずだ。そうだ。おれに欠けているのは勇気ではない。それは、そうしようという気持ちなのだ。じつのところ、あの誘惑は、ただちょっと心に浮かんだというにすぎない。そこでおれは、いつもわけなくそれをしりぞけることができたのだった。（さも強固な意思によるもののように見せかけながら。そして、《メモを書かなければ……》ということを口実にして。）

それでいながら、おれは、自分が急に死んだりしないかぎり——残念ながら、そうしたことはおこり得まい——死ぬ日のくるのをおとなしく待ってはいないだろうことがわかっている。そうだ、おれにはそれがわかっている。このことだけは本気でいっているのだ。そして、それはきわめてはっきりわかっているのだ。たしかにその時がやってくるだろう。おれは、その時のくるのを待つばかりだ。

薬はそこにある。一挙手一投足で事たりるのだ。(何にしても、そう思うだけで心がなごむ。)

夜

昼食まえ、ヴェランダのかげにいたら、ゴワランがスイスの新聞を持ってきてくれた。それには、ウィルソン大統領の最近の演説の全文が掲載されていた。彼はそれを高い声で読んできかせた。感激しながら。そして、おれたちも感激した。ウィルソンのメッセージは、そのどれもこれもが、ヨーロッパのうえを吹きわたり、ほっとひと息つかせてくれるいぶきといったようだ！ それは、埋没のおこった坑底に送られる酸素とでもいったような感じだ。それによって、生き埋めにされた人たちは、窒息とたたかうことができ、救出のときまでがんばることができるのだ。

七月七日、午前五時

固定観念。それは一つの壁だ。おれはそれに打ちあたる。おれはふたたび立ちあがる。そして、またもやそれにおどりかかる。おれはふたたび打ち倒され、そして改めてやりなおす。壁。おれはときどき——自分では、そんなことなど一瞬たりとも信じていないのに——おそらくみんなそうなんだ、おれはおそらく死ぬことなぞはないだろうと思いこもうとする。それはただ、なんとか論理をもてあそぶための口実なのだ。その結果、おれはふたたび、いやおうなしに壁に打ちあたらずにはいられないのだ。

午後、戸外で

ウィルソンのメッセージを読み返した。これまでのものにくらべて、ずっと明確だ。彼は、平和の観念を定義し、規約が《決定的》なものとなるために欠くべからざる条件をかかげている。一、ふたたび戦争をもたらすおそれのある政治形体の廃止。二、あらゆる国境の改定、領土帰属の問題に先だって、関係諸国民の意向をたずねる。三、諸国家間において、国際法の法典化に関して一致した意見を打ち立てる。そこに定められた条項に、すべての国家は服従することを約束する。四、仲裁裁判所の任務をつくすべき国際的機関の創設。文明国家に属するあらゆる国家は、なんの差別もなく、それに代表者をだす。

(おれが、こんなことを書き、こんなことをわざわざ書きとめておくという子供らしい喜び。これではまるで、大乗り気といった感じだ。それに協力しようとでもいった感じだ。)

ここでは、何から何までその話で持ちきりだ。誰の顔にも希望の輝きが見られている。しかも、ヨーロッパの、アメリカの、いたるところの町々でこれとおなじ現象が見られているだろうと思うと、まるで心が動転しそうだ！　いたるところの休息所に、いたるところの待避壕に、あの演説がこだましている！　誰も彼もが、この四年間の殺しあいに疲れているのだ。(そうだ、指導者の命にしたがって、こうして何世紀もの長きにわたって殺しあいをつづけて来たのだ……)　誰も彼もが、こうした理性への呼びかけを待っていた。だが、この呼びかけは、はたして責任ある人々の耳にも聞こえるだろうか？　今度という今度、なんとしてでも、そして、いたるところに、その芽をださせてやらなければ！　その目的とするところはきわめて明白だ。これは賢明なものであり、人間の運命に、人間の深い本能に、きわめてかなったものなのだ！　ただ、その実現のためには、無数の問題がおこるだろうし、長い努力を必要とされよう。だが、あすの世界にとって、どうしてもたどらなければならないのはこの道であり、この道をほかにして、ほかにたどるべき道のないことに疑いがあるだろうか？四年にわたる戦争。その結果は、殺しあい、山なす廃墟以外に何もなかった。いかにたくましい征服熱にとりつかれたものでも、戦争が、人間にとって、またすべての国々にとって、償うべからざる災禍である事実をいやでも認めずにはいられまい。とすると？　いまや戦争のばかばかしさが、あらゆる国々において経験の上からたしかめられ、そして、それについての政治家どもの確認、経済学者たちの計算、大衆の本能的な反抗に一致点が見いだされた以上、永遠の平和を計画するため、そこになんの障害があり得るだろう？

朝食のあとで、窒息の発作。注射。オリーヴの木かげの長椅子。ジェンニーへの手紙を書くためには、おれはあまりにも疲れている。それでいて、一刻も早くそれを書かずにはいられない。

おれの前での、ゴワラン、バルドー、マゼの論争。ウィルソンの眼目とする構想は、国際的な仲裁機関の構成にある。これは誰の損にもなりはしないし、おのおのの国家にしても、得るところあって失うところのないことなのだ。そのうえ、あまり気がつかれていないようだが、さらに次のような利点がある。すなわちこうした最高裁判所の運営によって、ここにはじめて、これまであれほど多くの戦争の原因をなした自尊心、国家的な神経過敏性をふせぐことができるだろうということだ。国民なり、政府なり、さらには主権者なり、たとい彼らにしていかに神経質であったにしても、それが隣国とか、同盟して立ち向かってくる敵に屈するというのでなく、諸国家間の共同の利益をたてまえとした国際法廷の宣告の前に屈するというのだったら、自負心なり、誇りなりを傷つけられたという気持ちをさほど感じないですむのではないだろうか？　こうした裁判所、（これは、ゴワランの意見なのだが）それは、こんどの戦争の終了と同時に、戦争の総決算の行なわれる以前に構成されることが必要だ。それは、平和条款が、かつてのように、交戦国相互のあいだでけんか腰で論議されたりしないためにだ。それどころか、一段高いところから、裁定をくだしてくれ、責任分担を決定してくれ、公平な裁断をくだしてくれる国際連盟の中で、おだやかに論議されんがためなのだ。

国際連盟　今後あらゆる戦争を不可能ならしめるため、唯一の、そして最も有効な方法だ。というわけは、一国がほかの国によって攻撃されるか脅威をうけるかした場合、すべての国家は自動的に侵略者にたいして立ち、行動の自由を制肘《せいちゅう》し、いやおうなしに法による仲裁を受諾せしめることになるだろうから。

さらに、遠大なことまで考えなければならない。そうした国際連盟は、国際的な政治と経済とを推進するものでなければならない。これによって、総括的な、組織的な、つまり地球全体の尺度の上に立っての協力にまで到達するのだ。そしてそこにこそ、文明にとっての新しい段階、決定的な段階がはじまるのだ。

ゴワランは、この点に関してきわめて正しい多くのことを述べている。おれは、これまでゴワランにたいして、あまりにつらくあたりすぎていたことを思いだした。なんでも知らないことがないといったふうなこの高等師範卒業生《ノルマリアン》に、おれはじりじりさせられていたのだった。だが、事実それにちがいないのだ。彼はじつにいろいろなことを知っている。彼は、注意ぶかく事件の経過を見まもっている。毎日、八種ないし十種の新聞を読み、毎週、スイスの新聞雑誌を小包で送らせている。要するに均斉のとれた男。(ところがおれには、その均斉のとれた男というやつがにがてだったのだ。)現代の事実を、適当な距離をおき、歴史家といった態度で慎重に判断しているところ、すっかりおれの気に入った。その場にヴォワズネもいあわせた。(バルドーに言わせると《療養所でだいたい完全な声帯を持っているのは、ゴワラン、ヴォワズネのふたりだけだ……やつらはそれをいいことにしている!》)

きょうは、さしてできが悪くなかった。注射におとらず、ウィルソンのおかげもあったと思う!

つけ加えて言おう。国際連盟の創立によって、こんどの戦争の廃墟から、ぜったい新しい何ものかが、すなわち、世界的良心なるものが生みだされるにちがいない。これによって、人類は、正義と自由へ向かって、決定的な一飛躍を試みることになるだろう。

夜十一時

新聞を何種か読む。饒舌、鼻持ちならぬ愚劣さ。今日の政治家たちの中にあって、ウィルソンこそは、遠大な視野を持っている唯一人者のように思う。きわめて高貴な民主主義的理想。彼と比較するとき、わがフランスの（ないしイギリスの）扇動政治家輩は、まさに小粒な《事件屋》たるの観がある。つまり、その誰も彼もが、程度に多少の差こそあれ、相手を非難しているように見せかけながら、じつは彼ら自身、帝国主義的伝統の傀儡《かいらい》たるにすぎないのだ。

ヴォワズネ、ゴワランのふたりを相手に、アメリカとデモクラシーとについて語りあった。ヴォワズネは、ニューヨークで何年か暮らしていた。アメリカ合衆国の安定性と安全。ゴワランは、興奮して、まるで予言をしたいとでもいうように、二十世紀は黄色人種によってヨーロッパが侵略される時代であり、白色人種の将来は、ただアメリカ大陸でだけ余喘《よぜん》を保つことになるだろうと言っている……

午前二時

眠れない。ほんのちょっととろとろしたあいだに、ステュドレルの夢を見た。パリの、病院の奥の実験室だった。ステュドレルは、軍帽《ケピ》を頭にのせ、いつもより短いひげをはやし、上っぱりを着ていた。おれは何やら、彼に熱心に説明してやったところだった。ウィルソンのことかもしれない。さらには国際連盟のことかもしれない……彼は、その大きな目で、肩越しにじっとおれをみつめた。――《それがいったいどうだっていうんだ？　きみはもうじき死ぬんじゃないか？》

おれはまだ（ステュドレルにはすまないが）ウィルソンのことを考えている。ウィルソンは、まさにこんどの役割のために生まれてきたような男だ。こんどの戦争の終結をして、同時にすべての戦争の終結たらしめるには、新しい人間、なんの怨恨をも持たない局外者、すなわち、ヨーロッパの指導者たちのように、相手をたたきつけることに狂奔し、前後四年間をああした痙攣状態の中にすごしたりしなかった者の手によって平和が打ち立てられなければならないのだ。海のかなたの人であるウィルソン。平和と自由の中に団結を具体化している国の代表者。そして、彼の背後には、全世界四分の一の人間が控えている！　常識あるアメリカ人なら、誰しも当然次のように考えるだろう。《われらもまた、一世紀このかた、わが諸州のあいだに、しっかりした、建設的な平和を築きあげ、それをりっぱにもり立ててきた。どうして、ヨーロッパ合衆国の作れないはずがあるだろう？》ウィルソンは、まさにワシントンの脈を引いているのだ……（彼もまた、このことを意識している。それを、演説の中ににおわせている。）戦争がきらいでいながら、しかもその国を戦争から解放するために戦争をしたワシントン。（ゴワランによれば）彼には同時に、全世界を解放しようという隠れた考えがあったそうだ。そして、反目した小さな諸州を一つの大きな平和的団結たらしめることに成功したら、おそらく、旧大陸もいやおうなしにその例にならうだろうと思っていたということだ。（だが、旧大陸にしてこのことを理解するためには、おそらく百年以上を必要とするだろう！）

おれは書いている。そして、時計の針は文字板のまわりをまわりつづけている……ウィルソンのおかげで、おれは、《亡霊》をおさえていられるのだ！

これは《猶予期限付きの亡者》にとっても、胸をおどらせずにはいられない問題なのだ。パリから帰って以来、おれははじめて、将来というものに興味が持てるようになってきた。この戦争の終結とともに、いよいよおこってくるであろう世界の将来という問題。もし到来する平和にして、貧血したヨーロッパを鍛え直し、再建し、単一化するようなものでなかった場合、すべては――しかも永久に――危険をはらむことになるだろう。そうだ、もし武力が、引きつづき各国家の政策の主たる役割をなすであろう場合、もし各国が、その国境のかげにあって、あいかわらずその行動の独裁をつづけ、領土拡張欲に身をまかせるであろう場合、もしヨーロッパ国家の連盟が、ウィルソンの希望するように商業上の交易の自由や関税網撤廃などをみとめて経済的平和を打ち立てようとしなかった場合。もし国際的無政府主義の時代が、決定的に停止されないであろう場合。もし諸国民にして、それぞれの政府をして、いっせいに、道理に基礎をおいた全体的秩序に服従させようとしなかった場合。そうだ、そうした場合、すべてはまたもや、まきなおしであり、これまで流された血は、すべてむなしく流されたことになるだろう。

だが、いまやあらゆる希望をもつことがゆるされている！

（おれは、さもおれ自身それに《参加》できるような気持ちでこれを書いている……）

七月八日

三十七歳。これが最後の誕生日！

正午の鐘の音を聞きながら。いましがた、洗濯屋のかみさんとその娘が、洗濯物の荷を肩にのせて、ヴェランダの下を通っていった。このあいだ、そのかみさんを見ながら、なんだか重そうな身のこなし、腰のあたりのつっぱりかた、腰骨のあたりのぎごちなさに気がついてはっと思ったときの感動。ほとんどわからないほどだった。妊娠。三カ月半、せいぜい四カ月。胸を刺されるような感動。恐怖。憐憫、羨望、絶望！　もはや将来を持たないものにとって、つい目の前に、ほとんど手に触れんばかりの未来の不可思議がしめされている！　生をうけるまでにまだ相当あいだのある胎児。そして、その向こうには生きていかなければならない見知らぬ一生！　おれが死のうと、そんなことにはおかまいなしに生まれてくる子供……

戸外で

ウィルソンのことが、いまなお誰も彼もの心を占めている。このところブリッジも休業状態。下士官クラブでも同様だ。みんなトランプそっちのけで、二時間にわたっておしゃべりをしている。

新聞も、論評記事でいっぱい。バルドーは、けさ、こうした平和の夢にたいして、検閲が、さまざまな推測にたいしてだまっているのが、きわめて意味深長だと言っていた。『ローザンヌ新聞』に、いい記事が出ていた。一九一七年一月の、ウィルソンのメッセージを引用している。《勝利なき平和》そして《各国間における軍備を徐々に制限し、その結果、全面的軍備撤廃にいたらしめること》。（一九一七年一月と言えば三〇四高地のうしろの、廃墟になった村での思い出。軍備撤廃について、パイヤンとセイフェルを相手に議論をしたっけ。）

分析のため、マゼがやって来たために中断された。塩化物、とりわけ燐酸塩の減少。

夕立模様で、とても疲れる。水の音を聞こうと思って水車のところまでそろそろ行った。物をつづけて読んだり、人の考えに注意を集中したりすることがだんだんむずかしくなってくる。自分の考えに注意することだけはまだだいじょうぶだ。このノートに書くということが、おれにとっては退屈しのぎになっている。といっても、それがはたしていつまでつづくことやら。せめてそれまで、大いに利用しなければ。

一九一七年一月のウィルソンの演説。軍備撤廃。これが眼目。昼食のときの会話。レーモンをのぞいてみんなが賛成した。こんにち当然のこととして語られていて、しかもわずか二年まえには、誰ひとり口にしようとせず、また、あえて考えてみようともしなかったことなのだ。すなわち、軍隊とは、国民の膏血《こうけつ》を吸って肥えふとる腫れ物であるということ。（一般大衆のため、一目でわかるように説明すれば、砲弾製造のために使われているひとりひとりの労務者は、有用な生産に従事することをしないため、国家にとって一つのお荷物であるところの寄生虫になる。）予算の三分の一を軍事費にのまれている国民は、とても生存をつづけていけないのだ。破滅か、しからずんば戦争だ。現在の大激変も、けだし四十年にわたる組織的な軍備の避くべからざる結果にほかならない。全面的な軍備撤廃なくして、どこに恒久性のある平和があり得よう。このことは、いやというほど聞かされている真理なのだ。しかるに、それが空念仏に終わってしまった。そして、理由はきわめて明白だ。すなわち、武装平和の時代にあっては、人は法よりも力のほうがすぐれていると思いこみ、すでに徹底的な軍備競争に追いまくられている各国政府にとって、すぐに方向を変え、こぞって愚かな戦争計画をやめる相談をすることなど、まったく思いもよらないことなのだから。ところがだ、あしたにも平和の時がやってきたら、何から何まで変わってしまうだろう。というのは、ヨーロッパの諸国は、すべてゼロに帰しているだろうから。白紙にかえっているだろうから。彼らは戦争に疲れ、弾薬庫はからになり、いまやすべてを新しい基礎の上に作り直さなければならないだろうから。いまや一つの例外的な時期、一つの前例のない時期が近づきつつあるのだ。すなわち、全面的な軍備撤廃の可能な時期が。ウィルソンは、まさにこれを見てとったのだ。もちろん、彼がとりあげ、彼が提唱した軍備撤廃の考えが、ただちに、あらゆる国々の世論によって、熱烈な歓迎をうけるだろうとは期待できない。つまり、この四年という歳月こそは、じつにそのための道をととのえ、いたるところに戦争にたいする抵抗の本能を固めさせ、国家間の紛争を調整するため、軍隊による決戦のかわりに国際的道義心の確立をもってしようという希望をそそり立てたというわけなのだ。

いまこそ平和をのぞむ絶対多数の人々は、戦争を扇動して利益を得ているきわめて少数の人々にたいして、一つの強固な組織を、将来、平和を確保し得るところの一つの組織を、いやおう言わさずに受け入れさせなければならないのだ。これがすなわち国際連盟であり、それは、必要に応じて国際的警察権を行使し、実力行使をぜったいに禁止する仲裁的権力を持つところのものなのだ。各国政府は、よろしくこの問題を一般投票にかけるがいい。その結果たるや、火を見るよりも明らかなのだ!

けさの食卓では、当然のこととして、ただレーモン少佐だけが憤然として、ウィルソンを目して、《ヨーロッパの現実》についてぜんぜん無知な《神がかりの清教徒》であると断じた。まさにマクシムの店でのリュメルの考えと好一対だった。これにたいして、ゴワランは敢然として反対した。「来たるべき平和が、各国こぞって正義を守ろうという気持ちのうえに立ち、一つの連帯性あるヨーロッパをつくりあげることを目的とした和解でないかぎり、何百万のきのどくな人々の貴い犠牲によって得られたそうした平和は、単に一つの条約をつけ加え、そして見せかけだけの平和をもたらすにとどまり、一朝事がおこれば、そうした平和はたちまち敗戦国の復讐心によって吹きとばされるにきまっているんだ!」これにたいしてレーモン少佐は、「神聖同盟に、はたしてどれほどの値打ちがあるか、それにどれだけつづく可能性があるか、誰にだってわかっていようさ」と言った。そこへおれが口を出すと、いきなり皮肉をあびせられた(それは考えてみればそれほどばかげたものでもなかったし、見かけほどむちゃなものとも思われなかった)。――「チボー君、現実家すぎるきみのことだ、だからこそ、こうした空想じみた話にかえって心が引かれるのさ!」

(このことは、たしかに一考の余地がある。)

ぼつぼつ雨が降りだした。さっと夕立でもやってきて、涼しい夜にしてくれるといいが！

七月九日、黎明

いやな一夜。息苦しさ。二時間と眠れなかった。それも、何度にわけてのことだったか？ラシェルのことを考えた。こうした暑い夜な夜な、首飾りのにおいはたまらない。ラシェルもまた、病院のベッドの上であっけなく息を引きとったのだ。ひとりぼっちで。だが、人間誰しも、息を引きとるときはひとりぼっちだ。

とつぜんこんなことが思い浮かんだ。けさもまた、いつもの朝とおなじように、ちょうどこの時刻、どこかの塹壕で、何千という哀れな兵士たちが突撃の合図を待っているだろうと。おれは、破廉恥にも、このことに何か心の慰めを求めようとした。ところが、だめだった。おれには、塹壕の胸牆《きょうしょう》からおどり出さなければならない彼らをきのどくと思うよりは、むしろ健康な彼ら、危険に身をさらしている彼らのほうがずっとうらやましく思われるからだ……

おれがいま読みかけているキップリングの作品の中に、《青春の》という言葉があった。おれはジャックのことを思った……《青春の》、これこそまさに、彼にぴったりあてはまる形容詞だ！　彼はつねに、青年以外の何ものでもなかった。〈あらゆる辞書の中で、青年の特徴である性格についてあたってみるがいい。ジャックは、それらすべてを持っていた。血気、過激、潔癖、大胆、はにかみ、それに、抽象的観念へのあこがれ、中途半端なことへの憎悪、とうてい懐疑主義にはなりきれないことへのあこがれ……)

たとい彼にしておとなになったとしても、はたして年のいった青年以外のものであり得たろうか?

ゆうべ書いたことを読み返してみる。レーモンから言われた《空想》という言葉……ちがう。おれはいつも——依怙地とさえ思われるほど——空想的な考え方をしりぞけてきた。おれはいつも、誰の言葉だったか忘れたが、次のような格言を守ってきた。いわく、《迷妄の最たるものは、自分につごうのいいようにすべてを信じることだ》そうだ、断じてちがう。ウィルソンにして《われらの望むところは、全世界が清らかなものになり、そこにわれらの生きることがゆるされることである》と宣言するとき、おれの懐疑主義は反発せずにはいられない。つまり、人間の完全さにたいした夢をつなぐことのできないおれは、人間によって作りあげられたこの世界が《清らかな》ものになることなどとうてい期待できないからだ。だが、そのウィルソンにして、さらに言葉をつづけて《平和を愛するすべての国家のため、この世界をして信頼し得るものたらしめる》と語るとき、おれは賛成せずにはいられない。そこにはなんら空想のかげがないからだ。すでに社会は、個人をして、自分でさばきをつけることをさせずに、その争いを法廷の処理にゆだねさせることに成功している! そうなるうえは、国家間の行きがかりの場合も、各国政府が、その国民たちをして、直ちに相手がたにおどりかからせないようにできないわけがどこにある? 戦争。それははたして、自然の法則というべきだろうか? そうだとしたら、それはペストの場合と変わりがない。人間の歴史は、終始、悪しき力にたいしての光栄ある戦いにほかならない。いまやヨーロッパの主な国々は、次第にその国家的統一をきずきあげることに成功した。ここにおいてさらに一歩をすすめ、大陸全部の統一を実現するところまでどうして行けないはずがある？　これこそまさに、社会的本能の新段階であり、また新飛躍ともいうべきものだ。なるほど指揮者たちは《しからば愛国的感情をどうするつもりだというかもしれない。だが、戦争にかり立てるもの、それはけっして自然の本能たる愛国的感情だとは言われない。それは、後天的な、人為的な感情たる国家主義的感情にほかならないのだ。土地、方言、伝統への愛着、それはぜったい、隣人にたいするはげしい敵意を含んではいない。ピカルディー（フランス最北部の州）とプロヴァンス（フランス南部の州）とブルターニュ（フランス北西部の州）とサヴォワ（フランス東部の州）の場合を例にとってみたらすぐわかる。ヨーロッパが連邦国家として構成されるとき、愛国的本能のごとき、それは単に地方的性格以上の何ものでもないことになるだろう。

《夢想》！　彼らはあきらかに、こう呼ぶことによって、ウィルソンの考えを流産させようと思っている。新聞を手にするとき、アメリカの意図に絶大な好意をしめしているものさえ、彼を目して《偉大な空想家》と呼び、《未来の予言者》と呼んでいるので腹がたつ。……じょうだんじゃない！　おれの感心させられるのは、むしろ逆に、彼の持っている良識なのだ。彼の考えは、かんたんであり、それは新しいと同時に、きわめて古い考えなのだ。それは、歴史を通じてのあらゆる試み、あらゆる経験の帰結なのだ。ヨーロッパは、いまや大きな分岐点に立っている。連邦的な新組織へいくか、それともふたたび継起的な戦争状態に立ちかえり、すべての国々がついに疲弊しつくすところまでいくか、二つに一つのほかにないのだ。万一、ヨーロッパにして、ウィルソンの提唱する合理的な平和――それこそまさに、ただ一つ真実な、そして永続すべき平和なのだ。すなわち絶対軍備撤廃による平和なのだ――を拒否するとしたら、ヨーロッパはやがて（しかも、なんたる犠牲においてであろう）、みずからが、ふたたび袋小路に迷いこみ、ふたたび殺戮に身をさらさなければならないであろうことに気がつくにちがいない。さいわい、そんなばかはしまいと思うが。

夜

苦しかった一日。絶望の再来。ぱっくり口をあいている落とし穴に落ちこんだような感じだ……おれは、もっと報いられていいはずだった。おれには（うぬぼれかな？）先生たちや友人たちも認めてくれた《りっぱな将来》にありつく値打ちがあったはずだ。ところがとつぜん、あの塹壕の曲がりかどで、さっとおそいかかった一陣の毒ガス……運命の手によって張られたこのわな、この落とし穴！

……

三時。息ぎれがして眠れない。まくらを三つ重ねた上にもたれていないと息ができない。滴薬を飲もうと思って明かりをつけた。そして、これを書く。

おれはいままで、日記をつけるというような（ロマンティックな）趣味も時間も持たなかった。いまから思えば残念だ。もしいま、この手の中に、白い紙の上に黒く書かれた十五の年からの自分の過去があったとしたら、おれにはもっと生きたという自信が持てるだろうに。おれの一生には、もっと大きさなり、重さなり、はばができ、歴史的な堅実さが得られていたであったろうに。おそらくこうした、たよりのない、形のない、何ひとつとらえどころのない夢のようなものとはちがっていただろうと思うのだが。（ちょうど病気の進行の場合はちゃんとした体温表に書きこみ、記録するのとおなじように。）

おれは、《亡霊ども》をはらいのけようとしてこの日記を書きはじめた。おれは、そうだと信じていた。ところが、その底には、はっきりしない無数の理由があったのだ。すなわち、ひまつぶし、自分自身にたいする気やすめ、それに、いまや消え去ろうとしているもの、すなわち自分自身それを得意にしていたこの人生の、この自分自身というものの、せめてわずかだけでも残しておきたいといった気持ちがあったのだ。残しておく？　だが、それはいったい誰のためにだ？　またなんのためにだ？　愚だ！　というのは、このおれには、これをふたたび、時をへだてて読み返してみる暇のないことがわかっているからだ。ではいったい誰のためにか？　あの子のため！　そうだ、いまごろ不眠になやみながら、ふとそんなことが心にひらめいたのだ。

あの子はりっぱな顔をしている。がっしりしている。元気よくのびていっている。おれのすべての将来、世界のすべての将来は、一にあの子の中にある！　はじめてあの子に会ったとき以来、おれはあの子のことを考えている。それなのに、向こうでは、おれのことなど考えているはずがないだろうということが、たえず心にかかっている。あの子は、おれのことなど忘れるだろう。あの子は、おれについて何ひとつ知るまい。おれの残すものは、何枚かの写真、わずかの金、それに《アントワーヌおじさん》という名まえだけ。何ひとつ。それを思うと、ときどきたまらなくなってくる。せめて、この先、生きていられる数カ月のあいだ、毎日毎日、この日記の中に書きつづける根気があってくれたら……ジャン・ポールよ、おそらく後になって、このおれの歩みのあとを、おれの足跡を、去って行くひとりの人間の足跡を、この中に見いだそうとしてくれるだろうか？　そしてそのとき、《アントワーヌおじさん》は、おまえにとって、一つの名まえ、アルバムにはられた一枚の写真にくらべて、いくらかましになれるだろうか。もちろん、こうしたおれの姿が、ほとんど自分に似ていないであろうことはわかっている。かつての自分と、いまやこうして病苦に苦しんでいるいまの自分と……それにしても、何かのたしにはなるだろう。ないよりましだと言えるだろう！　おれはいま、そうした希望にかじりついている。

　とても疲れている。熱がある。宿直の衛生兵が、明かりのついているのを見つけた。もう一つまくらを持って来させた。この滴薬も、もはやなんら効果がない。べつのやつをバルドーにたのまなければ。

　やみのなかに、青みがかった窓の明るみ。まだ月があるのかしら。それともすでに夜が明けかかっているのかしら？……（何時間つづいたかわからない浅い眠りのあとで、おれは幾たびとなく明かりをつけ、時計を見た。そして、あざ笑っているかのような文字板の上に、十一時十分！……一時二十分！……と読みとってがっかりした。）
四時三十五分。とするともう月ではない。夜明けに先だつほかの明かりだ。やれやれ。

七月十一日
ベッドの上での漠とした苦痛の幾日。そのにがい、いら立たしいやすらぎの気持ち……
昼食をすませた。（患者用の小さな食卓の上での、ながくかかってのこの食事。運ばれてくる料理と料理とのあいだの、なんともがまんのできない長さ。それが、せめて残っている食欲さえも失わせる！……十分ごとにジョゼフは盆を手にしてあらわれる。そして、受け皿《ソーサー》に、ほんのちょっぴりした料理……）正午から三時まで、まるで夜から静けさを借りてでもきたような、うつろになったしずかなひととき。それを破るものは、近くで聞こえる咳の音。なんら頭をはたらかせないで、知っている声といったように、それが誰の咳だか聞きわけられる。
三時になると体温計、ジョゼフ、廊下の物音、庭で呼ぶ声、生活……

七月十二日
わびしかった二日。きのう、レントゲン検査。気管支の膨大部がさらにふえた。自分にもわかっていた。
ドイツ議会で、あの穏健な演説をやってのけたクールマンは、辞職しなければならなくなった。ドイツ方面の考え方にあらわれた困った徴候。いっぽう、ピヤーヴェ三角州地帯におけるイタリア軍の進出が確認された。

夜

ずっと床についていた。懸念していたほどつらい一日というのではなかったが。たずねてくる人たちにも会うことができた。ダロスとか、ゴワランとか。けさ、バルドーが呼びにいかせたセグール教授立会いのうえでの長い診察。とり立てて心配するような点は少しもなかった。たいして悪化もしていなかった。さて、周囲の連中は、誰も彼も、すっかり安心しきっている。希望と現実とをとりちがえてはいけないと思いながら、このおれ自身も、そうした安心の波にさらわれかけているようだ。味方の旗色はたしかにいい。ヴィレール・コトレ、ロンポワンなど……第四軍……(テリヴィエが、まだこの軍に従っているようだったら、さだめし大いに活躍しているにちがいない!) それに、オーストリア軍敗退の事実。それは、全面的な敗退だった。それに、日本による東洋方面での新戦線。だが、情報通のゴワランによると、パリが砲撃されて以来、人心に深い衝撃が見られているということだ。戦線にあっても、人々は、妻子までが自分たちとおなじ危険にさらされるということに無関心ではいられなくなっているとのこと。ゴワランのところへ、無数の手紙が舞いこんでくるのだ。これでぎりぎりかといったところ。もうこれ以上はまっぴらだ。はやく戦争がすめばいい。たといどんな代償を払っても!……戦争はおそらく、アメリカに引っぱられてやがて終わるにちがいない。それもたしかにいいことなのだ。戦争終結がアメリカの手によってなされるとしたら、われらの指導者たちは、平和締結にあたってもアメリカの言いなり次第にならざるを得まい。――そうなれば、それはウィルソンの求めている平和であり、われらの将軍たちの求めているような平和ではないのだ。

からだの好調子があしたもつづくようだったら、いよいよジェンニーへ手紙を書こう。

七月十六日

この数日来、とても苦しんだ。気力がなく、何にたいしても興味がない。日記はすぐ手の届くところにある。だが、少しもあけてみようという気になれない。毎晩、メモに健康状態を書きとめるのがやっとのことだ。

けさから、見かけはずっと軽快だ。呼吸困難も間遠になり、発作も短く、咳もいままでほど深くなくなり、がまんできる程度になってきた。日曜からまたやりだした砒素療法のおかげだろうか？ これで、再燃が食いとめられたというのだろうか？

シュメリーは、おれよりもきのどくな状態にある！ 敗血症状。壊疽《えそ》病巣の散在する気管支炎。もうだめだ。

それにデュプレーは、右側股静脈《こじようみやく》の静脈炎だ！……それにあのベール！ それにコーヴァン！

心のひだの中に眠っているもの！ （たとえば、戦争のおかげでおれ自身の中に発見することになった、いままで知らずにいたあらゆる胚種……憎悪、暴力、さらには残酷さへの可能性……そして弱者への侮蔑……それに恐怖感、等々……そうだ、戦争は、おれの中に、きわめていやしい本能を、人間のあらゆる醜悪面を発見させてくれたのだった。おれはいま、自分自身の中にこうした下地を発見して、これからさき、人々のあらゆる欠点、あらゆる罪悪を理解することができるだろうと思う。）

七月十七日、金曜、夜

たしかに好調。これはいつまでつづくことやら？　だが、この機逸すべからず、とうとう例の手紙を書いた。きょうの午後。何度も何度も書きなおした。これという調子がなかなか出ない。最初、それとなくにおわせて地ならしをしておくことを考えた。だが長い手紙を、すべてをつくした、ただ一本の手紙を書くことに決心した。有望。おれの知っている彼女の場合、むしろ問題を真正面から切りだしたほうがよさそうに思う。事を、純粋な形において、ジャン・ポールの将来のためを思って、いやおうなしの問題として切りだそうと努力した。

今夜の開函《かいかん》はすんでいた。あしたの朝まで、もう一度手紙を読みなおし、出すかどうかの思案をしなおすことができるのだ。

シャンパーニュ（フランス東北部の州）におけるドイツ軍の攻勢。ロシャ（フランス東北部の地名）も、おそらく渦中にあるにちがいない。これがやつらの、例の大攻撃の火ぶたを切るというやつなのか？　マルヌ川に達し、サン・

ミッシェルへひたおしに押しよせ、ヴェルダンを包囲し、さらに西方に転じて、マルヌ、セーヌを目ざそうというのだろうか？　すでにマルヌ川の北と南へまで進出している。ドルマンもあぶない。（その町、橋、会堂の広場、会堂正面にあった野戦病院、それらすべて、いまもありありと目に浮かぶ……）終局まではまだまだ遠い！　その最初の明るみさえも見えていない。うまくいけば一九一九年はアメリカ軍参戦の年、その小手だめしの年。一九二〇年は激戦の年、決定戦の年。一九二一年こそは中欧諸国降伏の年、ウィルソンによる平和の年、動員解除の年……

最後に、もう一度手紙を読みかえした。調子についても満足した。なんらあいまいな点がない。論理的にも、最大級な納得性を持たすことができた。彼女も、これを理解してくれ、受け入れずにはいないだろう。

十八日、朝

ズボン下すがたのセーグル教授が目にとまった。ティエール（十九世紀フランスの政治家、歴史家）とは、ぜんぜん似ても似つかないそのすがた！

午後、庭で

けさのことを書いておこう。

会計の馬車に託して手紙をだすため、いつもより早く起床。窓のすだれをおろしに行くと、二号館の一つの窓のすきまをとおして、朝の身じまいをしているセーグル教授のすがたが目にはいった。上半身は裸、ぴったりくっついたズボン下（老いぼれたらくだとでもいったような貧弱なしり）、ぬれたまま、ぴったり頭になでつけられた髪……一心にブラシで歯をみがいていた。いつもは、荘重で、しゃちこばって、ぴったり合った服に身をかため、前髪を風になびかせながら、あごを引きしめ、背の低いからだをせいいっぱいにのばしているすがたを見なれていたのに。それを、ティエールに見たてていたおれは、最初人ちがいではないかと思った。見ていると、泡の立った水を吐きだし、それから鏡のほうへ身をかがめて、指を口に入れて入れ歯を引きだし、不安そうなようすでそれをしみじみながめてから、動物らしい好奇心でそのにおいをかいだものだった。それを見るなり、おれはとつぜん部屋の中央まで飛びすさった。まのわるさ。なんとも説明できない感動に胸をつかれた。尊大ぶった彼にたいして、たちまち――さてなんと言ったらいいだろう？――なにやら身近な親しみを感じた……

こうした経験は、これが最初のことではない。相手がセーグルでなく、ほかの者だった場合も、おれは、ここに来てから、医者、衛生兵、患者たちのあいだで暮らすことすでに何カ月。彼らの姿、彼らのしぐさ、彼らの癖を知りつくしているので、安楽椅子の上から出ている首筋、窓から灰皿をあけている手、野菜畑の土塀の向こうを通るふたりの声など、まちがわずに言いあてることができるのだ。それでいて、彼らにたいしての友情は、きわめて平凡な慎ましい態度以上に、ぜったい踏みだすことができなかった。おれがかつて、ほかの誰彼とおなじように、きわめて屈託のない社交的だったころでも、おれはいつも、ほかの人々とのあいだにはっきりした一枚のしきりを置き、他人の中での他人といった感じだった。ところが、彼らのうちの誰かひとりがたったひとりでいるところを見ると、ひとりぼっちのおれの気持ちはたちまち溶けてしまい、ほとんど愛情とも言えそうなはげしい友情を感じだす。なぜだろう？　おれは、幾たびとなく（偶然鏡に写ったり、あるいはドアが半開きになっているため）、おなじ階に住むひとりの男が、人から見られていないと思わなければとてもできそうもないつまらないこと（ポケットから、そっと写真をだしてのぞきこむとか、ベッドにつくまえに十字を切るとか、さらには、何かうつけたようすで、ないしょにしてあったことを思いだしてにやりとするとか）をしているのを見ると、たちまちその男の中に、《身近なもの》《自分の同類》《似たもの同士》を発見して、しばらくのあいだ、その男と友だちになろうかとさえ思ったものだ！

それでいて、《友だちをつくる》ことにかけてはぜんぜん不得手なおれの性質。《友だち》というものを持たないおれ。ぜったい、友だちのなかったおれ。（これが、ジャックの場合、とてもうらやましく思われた点だ。彼がたくさん友だちを持っていたという点。）

夜

書いてみたい気持ちがもどってきた。この数日来、たしかにずっと快《よ》くなっているのだ。

けさ、食卓での戦争の思い出話。（平和になったら、おそらく狩りの話のかわりに戦争の話がもてるだろう。）ダロスは、戦争のずっとはじめのころ、アルザスで斥候に出たときの話をした。夜になって、彼は仲間の幾人かといっしょに、住民が逃げだしてひっそりした、月の光に照らされた一つの村をとおった。すると、ドイツ歩兵が三人、銃を引きよせ、人道の上に横たわり、いびきをかいて眠っていた。ダロスは、それをこういうふうに話してきかせた。《それほど近くで見ると、もうドイツ人という気がしなかったな。へとへとに疲れきった仲間といった感じだった。おれは、ほんのしばらくためらった。それから、彼らを見なかったことにして道をつづけることにした。後につづいた八人のやつらも、おれとおなじようにした。おれたちは、眠っている連中から十メートルばかりのところを、見ないふりをしてとおりすぎた。そして、その晩、仲間の中の誰ひとり、まるで申し合わせでもしたように、それについて、何ひとことにおわせたりしなかった》

七月二十日

きのう、《委員会》による療養所の《検閲》があった。この地区でのありとあらゆるおえらがた。きのうから、セーグル博士やバルドーやマゼはへとへとになっていた。軍隊にいたころのいまわしい思い出。後方では、戦争のため、何ひとつ変わってなぞいないのだ。

《軍の力》である《規律》については、ずいぶん言いたいことがある。といって、それが必要であることもわかっているが！……おれは、ブランや、その他の軍医たちのことを考える。予備の軍医たちとくらべたときの彼らの貧弱さ。それはもっぱら、彼らが長年のあいだ、階級尊重の中で仕事をしてきたからのことなのだ。身についてしまった服従の習慣。階級によって診断の自由や、責任の意味を限定するという習慣。

軍紀。おれは、コンピエーニュの留守部隊で、病院付き下士官だった。猛者のパオリのことを思いだす。よたものといったような顔、いつも血走った目。おそらく根からの悪い男ではなかったろう。というのは、夕方になると、川のそばへ行って、自分の飼っている椋鳥《むくどり》にやる麻の実を摘んでいたのだから。……戦前の、あのおそるべき、鼻持ちならぬ職業軍人のひとり。（なんでまた職業軍人になったりしたのだろう？　つまり、相手を恐怖させることにより、おなじ人間どものうえに君臨できるという唯一の機会を、その職業に見いだしたからのことだろう。）彼は、軍医から、診察を求めにくる若い兵士たちの名を書くことを言いつかっていた。患者の室のドアをたたく音が、いつもおれの事務室まで聞こえてくる。すると、いつもわめくように質問する。

「で、どうだっていうんだ！　悪いのか、悪くないのか？」

おれは、とほうにくれたような新兵の顔を想像した。――「悪くなければ、さっさと帰るんだ！」新兵は、それ以上何も言わずに、くるりとまわれ右をする。軍医に言わせると、パオリはきわめて優秀な下士ということなのだ。――「あいつ相手では、絶対ずるができないからな」

《軍隊は、国民にとって無上の学校なんだ》と、おやじが言っていた。そしておやじは、クルーイの少年たちを徴兵課へ行かせていた。

二十一日、日曜

今週の分析は、あらゆる努力にもかかわらず、規則正しい進行をしめす燐酸塩の減少とほかの有機塩類の減少をしめしている。

公報。形勢なかなかよろしい。ウルク川南部での進出。シャトー・ティエリーへの進撃。軍行動はエーヌ川からマルヌ川におよんでいる。フォッシュ（フォッシュ元帥）は、適当な時期に防御戦から攻撃戦にうつるために待機しているといううわさだった。いよいよその時期がきたのだろうか？

少佐は、毎日毎日、地図の上の旗の位置を変えることに余念がない。マルヴィの《反逆》事件（内務大臣で《ボネ・ルージュ》事件の主人公マルヴィは『ボネ・ルージュ』紙を利用してスパイ行為を行なったものとして、上院の陸軍委員会議長クレマンソーに摘発され、その結果、マルヴィは辞職し、高等法院によって裁かれるにいたった）と高等法院のことについてはげしい論争。公報の状況がよくなると、たちまちもり返してくる政治的論議。

二十二日、夜

きょう、ケラゼルのところに、ニエーヴル県選出代議士の義兄がたずねて来た。そして、われわれと昼食をともにした。たしか急進社会党の代議士。だが、そんなことはどうでもいい。いまや政党のすべては戦時下の順応主義を遵奉し、どれもこれもおなじような寝言をくりかえしている。なんとも鼻持ちならない愚劣な会話。ただ一つ例外だったのは、去年の春、シクスト・ドゥ・ブールボン（ブールボン家の後裔。オーストリア皇后の兄にあたる）を介してオーストリアの和平提案がフランス政府に手交されたという話。ゴワランは、フランスがそれを拒否したことに腹を立てていた。どうやらいちばんがんこだったのは老リボー（一九一七年におけるフランス首相）らしい。彼は、ポワンカレとロイド・ジョージをみごとに説得してしまったのだ。そして当時フランス政界での議論の一つは、次のようなものであったらしい。《ブルボン家の一員によって共和国にもたらされた和平提案のごとき、とうてい審議の余地がない。なぜかと言えば、王党派の宣伝が、これを大々的に利用するにちがいないから。そうなれば、共和制の将来に大きな危険がもたらされる。とりわけ、権力が将軍連の手中にある今日にあって！……》

とてもおれには信じられない！

七月二十三日

きのうの代議士。現代における熱病患者の好適例だ！　パリから、十二時間の時をかせぐために夜の特急でやって来た。熱っぽい目つきで、ひっきりなしに時計を見る。少し酔ってでもいるかのようだ。水さしにさわる手がふるえている。彼の思想もまた、さまざまな考えをとりあつかいながらよろよろしている。

彼は、動きまわることをもって活動的だと思いこんでいる。そして、その活動たるや、仕事にとってぜんぜんなんの役にも立たないものなのだ。大きな声を立てさえしたら、議論の筋がとおると思っている。断固たるちょうしを見せさえしたら、それで威厳なり能力なりを見せられるものと思っている。話をしながら、ほんの色どりにすぎないことを、さも全面的な思想ででもあるかのように取りちがえている。政治的には、血も涙もないことをもって、さも聡明なリアリズムででもあるかのように思っている。健康を大胆さのように思いこみ、食欲の満足をもって人生の哲学ででもあるように思っている。そのほか等々……

ことによったら、おれの黙っているのを見て、ぼんやり賛成しているとでも思ったのではあるまいか？

七月二十三日、夜

郵便がきた。ジェンニーからの返事。

おれは、いま、最初考えたように、まず彼女の母親に言ってやらなかったことを後悔している。ジェンニーは拒絶してよこした。うちわに書かれてはいるが、断固たる手紙。彼女は、堂々と自分の行為の全責任を負うと言っている。自分は、進んで身を投げだしているのだと言っている。法律のうえからだけでも、ジャックの子供はジャック以外の父親を持つべきでない、ジャックの妻は、断じて再婚すべきでない、自分は、息子によってどう判断されようとも、そんなことなんとも思っていない、うんぬん……

おれの言ってやった実際的な考慮が、彼女の心を動かすことができなかったばかりか、ぜんぜん問題にされなかったこと、いや、くだらないとさえ思われたことは明らかだ。はっきりそうとは言わないまでも、明らかに侮蔑的と思われるちょうしで、幾たびとなく、《社会的しきたり》とか《昔ふうな偏見》とか言った言葉が用いられている。

もちろんおれは引きさがらない。ふたたび手を変えて説得するつもりだ。《社会的しきたり》になんの価値もないとしたら、それに反抗する必要もどこにあるのだ？　それこそまさに、《社会的しきたり》に、ありもしない価値をみとめることではないだろうか！　とくに次の点を強調してやろうと思う。すなわち、問題は彼女のためではなく、ジャン・ポールのためだということを。正当ならざる出生にたいしていままでも負わされている汚名、それの無意味であることについては同感だ。だが、それも一つの事実なのだ。このことさえわからせてやったら、彼女としても、おれの名を名のること、おれにその子を認知させるのをためらったりはしないはずだ。事態はまったく例外的だ。すべては、おれが、近く姿を消しさえすれば簡単に解決するのだ！

きょうにも返事をだしてやろう。

それに、事をどうはこぶかについて、じゅうぶん明確に言ってやらなかったことが手ぬかりだった。彼女としては、いろいろめんどうなことを想像したにちがいない。はっきりしたことを知らせてやろう。《夕方の特急に乗って来さえすればいいのだ。ぼくはグラッスで待つことにする。そして、市役所へ行けば万事すむのだ。そして、あなたは、着いてから二時間の後、ふたたびパリ行きの汽車に乗ることにする。ちゃんと正式な戸籍を持って！》

二十四日

きのう手紙を書いてよかったと思う。きょうにのばさないでいいことをした。きょうは悪日だ。新しい手当のおかげでとても疲れた。

単に手続き上の形式をみたしただけで、今後ジャン・ポールの身にふりかかるすべての困難を決定的に取りのぞいてやれようなどと思ったら愚の骨頂だ。ジェンニーを得心させてやれないはずはないのだ。

七月二十五日

新聞。わが軍はシャトー・ティエリーを占領した。ドイツ軍の敗退。それとも戦略上の退却かな？スイス新聞の伝えるところでは、フォッシュの攻勢はまだはじまっていないということだ。現在目的とするところは、単にドイツ軍の退却を妨害することにあるらしい。イギリス軍の戦線の動かないことも、この推定のあたっていることを思わせる。

呼吸困難の発作が加わる。不安だ。体温の動揺がはなはだしい。きわめて不元気。

二十七日、土曜

寝ぐるしい一夜。わるいたより。ジェンニーは、頑として聞き入れない。

午後

注射。二時間の安静。

ジェンニーの手紙。彼女はわかろうとしていない。固執している。形式にすぎないことを、女としての彼女は、まるでみずからの信を裏切ることのように思っている。《もし、ジャックさんに相談できるのでしたら、そうした卑劣な偏見にはぜったい妥協するなと言うにきまっております……わたくしは、彼を裏切ることになりましょう、もしも……》うんぬん……）

こうした議論に時を費やしたのが腹だたしい。彼女の納得がおくれれば、それだけすべての手続きがむずかしくなるのだ。《書類をそろえることとか、結婚がここでできるようにすることとか、婚姻公示のことなどが……》

きょうは手紙を書くだけの気力がない。おれは、問題を感情に訴えてみることにした。すなわち、もしジャン・ポールの一生を楽にしてやれることが確信できたら、おれ自身どんなに安心して死ねるだろうかということを振りかざしてやろう。しかも、おれの心配を少し大げさに言ってやろう。そして、おれの最後の喜びを、どうかこばまないようにとたのんでやろう、等々……

二十八日

手紙を書いた。そして発送した。相当つらい努力。

七月二十九日

新聞。エーヌ川からヴール川にかけて、戦線全部にわたる圧迫。マルヌ川は奪還できた。フレーヌ、ラ・フェールの森、ヴィルヌーヴ、それにルーシェールも、ロミニーも、ヴィル・アン・タルドゥノワも……あの辺一帯が、手にとるように目に浮かぶ……

庭で

ここから見えるもの。見まわすかぎり、ここの庭とおなじような庭、まりのような形のオレンジの木、レモンの木、深緑のオリーヴの木、皮をはがれたユーカリの木、ふさふさした檉柳《ぎょりゅう》、大黄《だいおう》属の広葉の植物、それにばらやジェラニウムを滝のようにたれさがらせた壺形の植木鉢。色彩の氾濫。ありとあらゆる虹の色。サイプレスのまがきをとおし、日に輝いて見える家々のすべて、そのどれもこれもが、白、ばら、モーヴ、オレンジの色とりどりに塗られている。空の青さにたいして、ヴァーミリヨンの屋根がわら。それに、褐色、緋色、深緑色に塗られた木のヴェランダ! 右手、いちばん手近なところに薄青色の戸をもったオークル色の家。さらに二つは、鮮緑色のよろい戸をつけ、ひろい壁に紫がかった影を見せた、どぎついほどな白堊の家!

ああしたところにわが家を持ち、ああしたところに幸福をきずき、一生をああしたところで暮らせたら……

立ちならぶ黒いサイプレスの木のあいだに、日の光が、ほとんど見ていられないほどのまばゆさで、電柱の瀬戸の碍子《がいし》を光らせている。

三十日、夜

きょう、また下におりてみた。この二日間、それができずにいたのだった。

うちのめされ、ばかになったような感じ。

自分に未来がないとわかって以来、世界がまるでびっくりするようなもの、まるでわからないものになりでもしたように、おれは、じっと人生をながめ、ほかの人たちをながめている。

進撃は、すでに阻止されたらしい。

ところがとつぜん、ロシア（レーニン）が、連合国に向かって宣戦した（一九一七年、レーニンはケレンスキー政府を倒して過激派政府を組織し、その首班となった）。

夜

思い出。おやじが死んだとき、おれは彼の書簡箋を自分のところに持ってきた。それから三月の後、おれは《先生》あての手紙を書きながら、ふと紙を裏がえすと、そこには、おやじの書きかけたままの筆の跡がのこっていた。《月曜、けさはじめてお手紙拝見……》思いもかけないこのはち合わせ。まるで、手が死に触れたとでもいったような感じ！　おやじの書いた、たんねんな、小さな書体、まるで生きているようなそれらの言葉、永久に中断されたその努力！

八月

一九一八年八月一日

引きつづきタルドゥノワでの攻撃。いよいよ好機をつかんだか？　だが、はたして、どんな犠牲がはらわれることだろう？　ソワソン、ランス間で目ざましい進出。バルドーのところに、ソンム方面からのたよりがあった。英仏連合軍による別な攻撃が、アミアン東方で準備されているとのことだ。（一九一四年八月のアミアン……いたるところに混乱が見られていた！　おれは、それをたんまり利用した！　病院の薬局に勤務していたリュオーのおかげで、救護班を補給するため、なんと多量のモルヒネとコカインをかっぱらったことだろう！　そして、それから二週間後のマルヌ戦で、それがどんなに役だったことだろう！）

下院は、二〇年度兵（一九二〇年適齢者）の召集を議決した。まさにルルーの年度にちがいない。やっこさん、フォンタナン療養院をなつかしがっていることだろう。

八月二日

いまや片いじなジェンニーを納得させるあらゆる希望が失われてしまった。いよいよ決定的な《いな》。短い手紙。きわめて打ちとけた手紙ではあるが、ぜったいゆるがぬ決心を見せている。こうなるうえはしかたがない。（ちょっとしたつまずきにもがまんできなかったのは昔のこと。いまはあきらめることにしている。）彼女は、その拒絶をもって、主義の上からの問題と考えている。そして――かなり思いがけないことに――それを革命理論の上からの問題だとしている……彼女は、大胆にも、こんなことさえ書いている。《ジャン・ポールは私生児です。これからも私生児のままにしておきます。そして、こうした変則な境遇が、ジャックの息子を、幼いときから社会を敵とするようにさせたにしても、それもけっこうだと思います。おそらくジャックも、息子のため、これ以上の出発を望みますまい！》（そうかもしれない……よかろう！　ジャックがいだいていた反抗の精神よ、彼の死後まで凱歌をあげよ！）

三日、夜

物を書くのにこのもしい時刻、日中よりもずっと頭のさえている時刻。ずっと自分だけの気持ちになれる時刻。ジェンニー。その根本の考え方は別として、彼女の手紙が、緊密な脈絡をもち、一貫したものである事実は否定できない。力のこもっている点、堂々たる点、あますところがない。いやでも尊敬せずにはいられない。

ジャン・ポールに

おまえが他日、アントワーヌおじさんの書類を読む気になったとき、おまえはこれらの手紙を読んで感嘆するにちがいない。おれには、こうした議論で、おまえが、ためらうことなくお母さんのほうに軍配をあげるだろうことがわかっている。それでいいのだ。勇気といい、高邁な精神といい、それを持っていたのはおまえのお母さんであり、このおれではないのだ。ただ、おれはおまえにわかってもらいたいと思っている。おれがしつこく言いはるのも、それは、ブルジョワ的偏見への、日和見的な、退嬰的な服従とちがうものであることをみとめてもらいたいからのことなのだ。おれは次の時代、とりもなおさずおまえの時代が、あらゆる方面で、必ずやさまざまな恐ろしい困難、しかもおそらく、長いこと踏みこえることがむずかしいであろう困難に直面するであろうことを案じている。それにくらべれば、おまえの父やこのおれの出会った困難のごとき、とるにもたりないものなのだ。そう思うと、おれの胸はしめあげられる。おまえの戦いをたすけてやるため、おれはもうこの世にはいないだろう。そうした場合、おれとして、せめて何かおまえのためにしてやったと思うことができたら、きっとうれしいだろうと思うのだ。すなわち、おまえに正式な戸籍をのこしてやり、おまえにこのおれの名まえを、おまえの父の名まえをあたえてやり、せめておまえを待ちぶせているさまたげの一つを取りのぞいておいてやれたとしたら。このおれとしてなし得ることは、このことをおいてほかにない。——もっともおれは、お母さんも言ってるように、この点に少し重きをおきすぎているかもしれない。

八月四日

新聞。ソワソン奪還。三月末以来敵の手中に落ちていたのだ。これでわが軍は、エーヌ川と、それにフィーム前面でヴェール川に達することができたわけだ。（フィーム。この町についても思い出が多い！　おれはそこで、戦線に向かうソーンデルの弟に会った。そして、彼はそのまま帰らなかった。）

ラーンズダウン（イギリスの政治家。一八四五―一九二七）の深慮ある演説。

それが人々にわかるだろうか？　目下の情勢の動きから見て――これはゴワランも同意見だが――冬までには和平交渉の試みがなされそうに思われる。だが、クレマンソーは、最後の切り札であるアメリカ軍のやって来るまで、耳をかしそうに思われない。

ロシア。そこでもさまざまなことがおこっているにちがいない。連合国軍のアルハンゲルスク上陸。日本軍のウラジオストック上陸。だが、わずかな情報だけしか入手できない混沌たるロシアから、いったいなにがわかるというのだ？

夜

セーグル博士がマルセーユから帰ってきた。参謀本部では、十八日にはじめられた連合軍反撃の第一部はこれをもって終わりとするつもりだと言っている。目的は、すべて達成されたらしい。オワーズ川からムーズ川にかけての直線的な戦線。もはや奇襲をこころみるべき突出部といってもなくなっている。この新戦線で、この冬いっぱいをすごすわけか？

八月五日

マゼのくれた新しい鎮静剤の結果について、おれは喜んでいいだろうか？　不眠にたいしてはまったくなんの効果もない。だが、脈は正常に復し、神経は落ちつき、まえほどいらいらしなくなった。いっぽう、頭のさえ、頭の働きの倍加したこと。（少なくもそういった感じ。）けっきょくのところ、眠れはしないが、これまでの夜にくらべてほとんど快適とさえ言える夜。

ノートを書くためにきわめて上乗！

ジョゼフは、休暇を取って出かけていった。代わりに来たのは年のいったリュドヴィック。彼のおしゃべりには、まるで頭が割れそうだ。部屋をかたづけに来るのを見ると、おれはすぐに逃げだす。ところが、けさは、刺胳《しらく》術のためずっとおそくまでベッドにいたので、いやおうなしというわけだった。声がとぎれたり、わめいたりするので、話をしていてとても疲れる。というのは、やっこさん、自分の《受け持ち》のつもりで、床みがきを思いついたからのことなのだ。両足にブラシをつけ、ひとりでしゃべり立てながら、ジーグ（踊りの一種）踊りをやっている。

サヴォワですごした少年時代のことを話して聞かせる。そして、《軍医殿、なにしろけっこうな時代でしたな！》をくり返す。（そうだ、リュドヴィック、おれにしたって、昔の思い出のちょっとした切れはしだけを思いだしても、――そうだ、ずいぶんつらかったころの思い出にしても――《なにしろ、けっこうな時代だった！》と思わないではいられないのだ。）

クロティルドのような、何か味のある言いまわしなのだが、その言いまわしの形はまったく別で、なまりの点もずっと少ない。とくに気のついたのは、彼のおやじが合わせ師《アビエスール》だと言ったことだ。つまり仕立屋できれ地を合わせる職人、裁断師が裁ったきれ地をぴったり合わせるのを職としている職人なのだ。いい言葉だ。なんと多くの人々が……（ジャックもまさにそのひとりだが）自分の学び得たものをつぎ合わせるため、合わせ師《アビエスール》の存在を必要としていることか！

最近の手紙の一つの中で、ジェンニーは、ジャックのことや、彼の《主義》のことについて述べている。これほど当たっていない言葉はない。だが、それについて、彼女との論争はつつしむつもりだ。だが、ジャン・ポールを教育する場合、ジャックが彼女に向かって脈絡もなしに語った思想、それを彼女のほうでもかなりあいまいにしかつかんでいない思想を、さも一つの《主義》ででもあるかのように思いこむのは危険なように思われる。

ジャン・ポールよ、いつの日にかおまえがこれを読むであろうとき、アントワーヌおじが、おまえの父の思想を、支離滅裂なものであると断じたかのように早のみこみをしないでほしい。おれはただ、おまえの父が、とかく衝動的な人々の場合に見られるように、大部分の問題について、まちまちな、多くの場合矛盾しあった、そして、自分自身でも整理しかねるさまざまな見方を持っていたらしいことだけを言いたいのだ。少なくも彼は、そうしたさまざまの見方から、一つの明確な、がんじょうな永続性をもった確信、これとはっきりきまった方針を引きだすことができなかったのだった。いっぽう、彼の人格にしても、それはたがいに異質的な、矛盾しあった、同時にまた高びしゃな、さまざまな要素から成りたっていた。このことは、彼の豊かさをしめすいっぽう、彼としては、そうした要素のどれを選んでいいかわからず、またそれらをあつめて、調和した全一体をつくりあげることもできないでいたのだった。そして、そのことから、彼の永遠の不安が生まれ、また、その生涯をかけてのはげしい懊悩が生まれてきたのだった。

もっとも、そういうわれらにしても、たとい程度の差こそあれ、彼と似ているかもしれない。ここで《われら》と呼ぶのは、すでにできあがっている体系にはぜったい身をまかせることをしなかった人々、すなわち、彼らの発展のある時期において、一つの明確な哲学なり、宗教なり、論難や議論を寄せつけないような確実な立場を持たなかったため、一定の時をおいてたえず自分の拠点を検討しなおさずにはいられないところの人々、あとからあとからたえず自分自身の中に均衡をつくり出していかなければならないような人々を指していたのだ。

八月六日、午後七時

あのリュドヴィック。太い指で、四十九号室の患者に体温計を入れさせ、つづいてそれを取りだし、また五十五号と五十七号の痰壺のそうじをしたあとで、そのおなじ太い指を砂糖壺の底までつっこみ、おれの煎じ薬（鎮静剤）の茶碗に角砂糖を入れる。それにたいして、おれは《や、ありがとう》と礼をいう……

平凡な一日、といって、いまさら気むずかしいことの言えた義理ではないが。

夜、注射。おかげでやすまる。

夜

たいして苦しくない。だが、眠れない。

きのうジャン・ポールのためにといって書いたこと。そこには、おれ自身に関していささか正確を欠いたところがある。おまえはおそらく、おれが一生を通じて均衡だけをさがし求めていたと思うだろう。それはちがう。これはたしかに職業のおかげといえるだろうが、おれはいつでも、ちゃんと直立している気持ちでいた。不安に苦しんだようなことはほとんどなかった。

おれ自身について

ずいぶん早い年ごろから（医学の勉強をはじめた最初の年から）、宗教的、哲学的な、どんなドグマをも受け入れようとしなかったおれは、自分の持っているあらゆる傾向をたくみに調和し、自分のため、生活と思想との堅固なわく、一つの道徳律といったようなものを相当しっかり作りあげていた。なるほどそれは、限界のあるわくではあった。だが、おれにとって、その限界は苦にならなかった。むしろそこに、安らぎの気持ちをさえ感じていた。自分のきめた限界の中に満足して暮らしていくこと、それはおれにとって、自分の仕事のための、欠くべからざる条件なのだった。こうしておれは、きわめて早くから、いくつかの原則――ほかに適当な言葉がないので《原則》という言葉を用いる。言葉自体、思いあがった感じがあり、それにむりのある感じもするが――の中心にどっかり腰をおろしていた。それこそは、おれの性格の要求に、また医者としてのおれの生活の要求に、ぴったりかなったところの原則だった。（大ざっぱに言えば、それは力の礼賛、意思の実行、そのほかの基礎の上に打ち立てられた、行動人としての幼稚な哲学だったと言えるだろう。）

いずれにせよ、それは戦前にあってはきわめて正しいものと思われていた。戦時下にあっても、少なくも最初の負傷のときまでは、それは正しいものと思われていた。ところが負傷したおれは、（サン・ディジエの病院で過ごした予後のあいだに）自分に、それまで、ある種の均衡、快適な調和をあたえてくれていた、そしてまた、おれの才能によって十二分な収穫を得させてくれていた考え方なり、行動なりを、改めて問題にしてみずにはいられなかった。

ところで、疲れた。こうした自己分析といったものを、このうえつづけることにためらいを感じる。気のりの喪失。われとわが足をとられる感じ。書けば書くほど、自分について書いていることが怪しく思われてくる。

たとえば、おれはいま、自分の一生の中でもっとも重大ないくつかの行為について考えてみる。そうした行為のうち、おれとしてきわめて自然にやってのけた行為は、じつはおれの振りかざしている《原則》とは明らかに矛盾したものだったことを認めずにはいられない。そうした一つ一つの重大な時期にあたって、おれはいつでも、自分の《倫理観》からはとうていみとめられないような決心をした。それは、あらゆる習慣、あらゆる理屈以上に強力な、何か心の中の力といったようなものによって命じられたところの決心だった。その結果、おれは、いつでも《倫理観》につき、また自分自身につき、疑わずにはいられなかった。そしておれは、不安な気持ちで、《おれははたして、自分の考えているような男なのだろうか?》と、われとわが心にたずねてみずにはいられなかった。(もっとも、そうした不安にしても、けっきょくすぐに消えてしまって、おれはふたたび、自分の習慣的な姿勢の上に均衡を取りもどしはしたのだったが。)

今夜、ここにあってのおれには(孤独と、それに時のへだたりのせいもあるだろう)、自分がそうした生き方をし、またそうした生き方にわが身を従わせる習慣を持っていた結果として、自分ではその気もなしに、自分の形を不自然に変えてしまい、一種の仮面とでもいったようなものを作りあげていたことがはっきりわかってきた。そして、そうした仮面の顔が、次第次第におれの本来の性質までを、すっかり変えてしまっていたのだ。おれは、生活の流れの中にあって(というのは、自分というものを丹念に考えてみるだけのゆとりがなかったため)、そうしたこしらえものの性質に、手もなく自分自身を順応させていたのだった。ところが、何か重大な時期にあたり、たまたまきわめてすなおに心をきめなければならなかった場合、期せずしておれの性質の本質が顔をだし、その結果、当然おれの性格をそのまま反映させることになったのだった。

(このことをはっきりさせられたことはかなりたのしい。)

おれは、こうした場合がずいぶん多いのではないかと思っている。このことから、次のようなことが考えられると思う。すなわち、人の真の性質を見きわめようと思ったら、それは、その人の習慣的な行住坐《ぎょうじゅうざ》臥《が》のうちに求めずに、本人も気のつかないような不用意な行為、一見しただけでは説明のつかないような、時にはとほうもないように思われる行為の中に求めなければならないということが。《真実なるもの》は、まさにそうした行為によってのみしめされるのだ。

ところがジャックの場合、おれとはちがっていたように思われる。彼にあっては、ほとんどすべての場合、その生活が、深い本性（《真実なるもの》）によって導かれていたように考えずにはいられない。そのために、彼の生活をながめているものには、彼がいつもむら気であり、その行為は無鉄砲であり、表面しばしばでたらめででもあるように見られていたのだ。

窓にうかんだしののめの色。これでひと晩過ぎたのだ。つまりひと晩だけへったわけだ……これからとろとろ眠ることにしようか。（きょう、はじめて、寝られないことをたいして不足にも思わなかった。）

八月八日、外で

陰にいてさえ二十八度。えらい暑さ。だが、軽やかな、気を引き立ててくれるような暑さ。すばらしい気候。（人類の大部分が、何を苦しんで、好んで気候のわるい北に住むのだろう。不可解千万！）

さっき、食事のとき、おれはみんなが自分たちの将来について話しているのを聞いていた。彼らはみんな、毒ガス患者というものは、必ずしも永久にハンディキャップをつけられているものではないと信じている。ないし、信じているようによそおっている。彼らはまた、動員で中断された時そのままの生活をふたたび手に入れることができるものと信じている。まるで、平和になりさえしたら、世界にはそのまま昔の生活が立ちもどってくるとでもいわんばかりに。そこには、むざんな失望が待ちうけてはいないだろうか……

だが、おれがいちばんおどろくのは、彼らが地方民としての自分たちの仕事のことを話すときの話し方だ。それは、自分が選んだ、自分の愛している、自分の好きな職業、といったような話し方ではぜったいにない。まさに懲役のことを語る徒刑囚といったようではないにしても、まるで中学生がクラスのことを語るとでもいったような話し方だ。あわれむべし！ これというしっかりした天分をもたずに人生に足をふみ入れるほど悲惨なことはない。（もっとも、いかものの天分をいだいて人生に足をふみ入れるのだったら話は別だが。）

ジャン・ポールに

ジャン・ポールよ、《いかものの天分》を警戒せよ。一生をだいなしにする人々、老年を悲惨に迎える人々の大部分は、すべてこれに原因しているのだ。

おれは、青年になったときのおまえを想像する。十六歳、十七歳のおまえ。なんといっても、それは大きな混乱動揺の年ごろだ。それは、おまえの理性が自分というものを意識し、その力の上に夢をきずきはじめる年ごろだ。おまえの感情が物をいいはじめ、その跳躍をおさえることのむずかしくなってくるであろう年ごろだ。それは、おまえの精神が、新しく発見された地平に陶酔し、茫然自失し、数かぎりない可能性の前に立ってためらわずにはいられないであろう年ごろだ。まだ力が弱いにかかわらず、みずから力があるように信じ、何か拠点を、何か生涯を画すような仕事をとのぞむ一心から、はじめておぼえた確信、はじめて出会った試練に向かってしゃにむにおどりかかっていく年ごろだ……
……だが気をつけるがいい！　それは——おまえはほとんど気がつかないにちがいないが——おまえの想像力が、真なるものをきわめてゆがめて考えやすい年ごろでもあり、いかものをもって真であると考えさえする年ごろでもあるのだ。おまえは定めしこう言うだろう。《ぼくは知ってます》……《ぼくは感じています！》……また《ぼくには確信があります》と……気をつけるがいい！　十七歳の少年は、けっきょく狂った羅針盤をもった水先案内とおなじである場合が多いのだ。彼は、青年である自分の好みをもって、自分に生まれながらにあたえられたものであり、それこそ自分の道しるべとすべきであり、その道しるべこそ、自分にとって確実に行くべき方向をしめしてくれるもののように堅く信じる。そして、多くの場合、自分が、不自然な、一時的な、ひとりよがりの好みに引きずられていることには気がつかないのだ。そして、自分自身のものであるとまことしやかに考えている傾向自体、逆に自分とはなんのゆかりもないものであり、それはあたかも仮装のように、偶然、あるとき、書物の中なり世の中なりから見つけてきたものにすぎないことを忘れている。

　こうした危険から、おまえはどうやったら身を守ることができるだろう？　おまえのことを思うと、おれは思わず身がふるえる。おまえには、おれの忠告に耳をかすだけの気持ちがあるだろうか？

　まず第一に希望するのは、師たるものたちの意見や、おまえの周囲にあっておまえを愛してくれている人たちの意見を軽率にしりぞけたりしないということだ。それらの人々は、表面おまえを理解してくれていないように見えていながら、じつはおまえというものを知っている。それらの人々の意見をきいて、おまえはいらいらするかもしれない。それは、とりもなおさず、おまえ自身、暗黙のうちに、それらの意見の正しいことを感じているからにほかならないのだ……

だが、とりわけおれの望みたいのは、おまえがおまえ自身にたいして身を守ってほしいということだ。自分自身について思いちがいをしてはいないだろうか、見かけにだまされてはいないだろうか、このことを夢にも忘れないでいてほしい。自分自身の利害などは考えないで、あくまでも誠実さを押しとおし、それを明らかなもの、有意義なものにしなければならないのだ。また、次のこともわかってほしい。そうだ、つとめてこのことをわかってほしい。すなわちおまえたちの社会の少年たち——すなわち、教育もあり、読書によってはぐくまれ、聡明な、なんでも気ままに話せる人たちのあいだにあって育てられてきた少年たちにあっては——これこれのこと、これこれの感情について、とかく経験よりも観念のほうが先だつものだということを。それらの少年たちは、頭の中なり、想像の中なりに、自分たちがまだ直接少しも経験したことのない無数の感覚を知っている。そして、彼らは、そのことに気がついていないのだ。そして、知るということと感じるということとを混同している。彼らは、それが人に感じられるということを知っているにすぎない感情なり欲望なりを、さも自分が感じてでもいるように思いこんでいるのだ……

おれの言うことを聞くがいい。天分なるもの！　これについて一つの例をとろう。おまえは十歳、十二歳のころ、冒険談に熱中しながら、自分には、船乗りなり、冒険家なりの天分があると思いこんだことがあるだろう。そしていま、じゅうぶん分別のできているおまえは、そのことを思って定めし大笑いをするにちがいない。ところがだ。十六歳、十七歳になったいま、おまえはやはりおなじようなあやまりにねらわれているのだ。気をつけるがいい。そして、おまえ自身の好みを警戒しなければ。たまたま書物なり人生なりの中において、おまえが、詩人とか、偉大な実業家とか、恋人たちとかを賛嘆するようなことがあったにしても、これを移して、軽々しく、自分が芸術家であり、ないし偉大な恋愛の犠牲者であるなどと考えてはいけない。自分の性質の本質がなんであるか、それをたんねんに求めてみなければ。自分の真の性格を、すこしずつ発見するようにつとめるのだ。ところが、これはやさしいことではない！　多くの者は、ずっと後になってからようやくそれに成功する。また、多くの者は、ついに成功しないでおわってしまう。そのためには、じゅうぶんな時をかけなければ。何もいそぐにはあたらない。自分がそもそも何者であるかを知るためには、長い模索を必要とする。だが、いったん自分がつかめたとなったら、時をうつさずあらゆる借り着をすててしまうがいい。限られ、欠点を持ったものとしての自分自身をみとめるのだ。そして自分を、その正しい目的へ向かって、健康に、正常に、なんのけれんも用いないで発展させようとつとめるのだ。みずからを知り、みずからをみとめるということつまりは、必ずしも努力を、また完成を思いあきらめることではなく、むしろその逆なのだ！　それこそは、みずからの最大限に到達する絶好の機会を持つこと、とさえ言えるのだ。というわけは、そうあってこそ、感激が、はじめてその正しい方向、すなわち、あらゆる努力が実を結ぶ正しい方向へ向けられることになるからなのだ。力のかぎり、みずからの視野をひろげるようにつとめるのだ。だが、それも自分の持って生まれた視野でなければならない。そして、その視野が、はたしてどんなものであるかをよく理解したうえでなければ。人生に失敗する人たちとは、もっとも多くの場合、出発にあたって、自分自身の性格について思いあやまり、自分のものでない道に迷いこんだ人たち、または、正しい方向へ向かって出発しながら、自分の力の限界にふみとどまることを知らなかった人たち、あるいはまた、そうした勇気を持たなかったところの人たちなのだ。

八月九日

新聞数種。ロイド・ジョージの楽観演説。たしかに事態の必要から誇張した楽観論にちがいない。何はともあれ、この二十日以来フランス戦線で見られた動きには、じつに思いがけないものがあった。（パリでのリュメルとの会話。）そして、きのうからピカルディーでも攻勢が切って落とされているらしい。しかも、アメリカ軍は、すでに、姿をあらわしている。パーシング将軍の計画は、フォッシュに戦線を立てなおさせ、パリをすっかり安泰におき、いっぽう、英仏両軍が従来の戦線を守りつづけているあいだに、巨大なアメリカ進撃軍をしてアルザスへ向かい、国境を越えてドイツに侵入させることにあるらしい。そして、そのときこそ、ある種の毒ガス——あらゆるものをほろぼし、数カ年にわたってあらゆる植物の生育をゆるさず、したがって敵地以外では利用できないところの毒ガスが使われ、戦争は勝利を告げることになるだろうと言われている……（食事のときは、全員こぞっての感激だった。きのどくな毒ガス患者。そのうち大多数はぜったい見こみのない連中なんだが、彼らはこぞって、こうした新しい毒ガスの話をきいて歓声をあげていた……)
ダロスが、アメリカ軍相手の通訳をしている弟からの手紙を読んで聞かせた。それには、アメリカ人どもの、子供らしい自信たっぷりなのに気色がわるくなると書かれていた。そして将校にしても兵士にしても、ちょっと攻撃しさえしたら、たちまち最後の勝利が得られるものと信じている。それに彼らは、足手まといの捕虜はごめんだといって、五百人以下の捕虜だったら、破廉恥にも、機関銃でかたづけてしまうと公言している、とも書かれていた。(しかも、殺伐な微笑をうかべ、目つきだけはむじゃきな理想家どもは、機会あるごとに、自分たちは正義と公正とのために戦争しに来たのだとくり返しつづけているらしい。)

八月十日

どうやらふたたび、読むことに興味が持てだしてきた。たいした苦労もなしに、注意力の集中ができるようになってきた。とくに夜。ちょうどいま、ドーソンという男の書いた(『医学紀要』、ロンドン)すばらしい論文を読みおわったところだ。ほかの毒ガスの場合と比較しての、イペリット・ガスの併発性についての論文。論旨は、多くの点において、おれの所説を裏書きしている。(慢性的傾向を有する二次感染、等々……)手紙を出してみたいという誘惑、メモを何ページか送ってやりたいという誘惑を感じる。だが、引きつづいて文通のはじまることが心配だ。つづけられるかどうかに確信がないから。それでいながら、一日以来目に見えてからだの調子がいい。根本的には少しもよくなっていないのだが、苦痛はやわらいでいる。一時的な弛緩期。これまでの幾週間かに比較して、このぶんなら相当がまんができる。これで、毎朝の疲労の手当、呼吸困難の発作（とりわけ夕方、日没時の）、それに不眠というやつさえなかったら……だが、不眠だけは、ここ数日来のように物が読めだしてくると、これまでほどには苦にならない。それに、一つにはノートのおかげもある。

昼食まえ、窓からながめて

この風景、このひろびろとした起伏の壮大さ。いくつかの丘陵めざして攻めのぼっているあの無数の耕されたせまい段々畑。低い、かわいた石の塀や幾すじもの石灰質の線で平行に仕切られた斜面。そして、上のほうにはむき出しの岩石の冠。それは、モーヴとオレンジ色の反射を見せている、いかにもやわらかい淡いねずみ色の軽石からできている。そして、ずっとさがったところには、はるか向こう、ちょうど耕地と岩石の接するあたりに、段をなした小さな村。まるで、土地のひだにひっかかった、ひと握りの光ったじゃりとでもいったようだ。いましも、それら、どっしりした、ひろやかな、そしてゆるやかな動きをみせている畑地のあざやかな緑の上に、雲のかげがゆったり移っていっている。

この先、あと何週間これらをながめつづけていられることか？

十一日

マゼは、サン・ディジエの病院にいた軍医少佐ドゥザヴェルといったタイプの医者だ。ドゥザヴェルは、自分がもういけないと《かぎわけ》た患者は、ぜったい相手にしなかった。そして、いつでも言っていた。《名医は、鼻がきいていなければ。患者が、もうなんの興味にも値しなくなったという、その的確な時期を感じることができなくては》

おれはまだ、マゼにとって興味に値しているのだろうか？　それにしても、これからさきいつまで？

ラングロワに膿瘍ができて以来、彼は診察に行かなくなった。

ソンヌ河畔の攻撃はきわめて順調にいっているらしい。イギリス軍のほうでも、おくれをとりたくないと思ったのだ。サンテールの高地もとりもどせた。パリ＝アミアンにかけての大戦線も解放された。いまモンディディエで戦闘中。（モンディディエ、ラシニー、レソン・シュル・マッス、これらすべての名、一九一六年の思い出！……）

ゴワランはきわめて楽観的だ。いまやあらゆる希望をいだいてもだいじょうぶだと主張している。おれもそう思う。（驚いているやつがずいぶん多いだろう。まず第一に軍民双方のおもだった連中。やつらはこの春、すでに破滅のときが近いと踏んでいたのだ！　誰も彼もが、得意になっているだろう。ただし、あまり得意になりすぎないでくれるように。）

八月十二日、夜

ドーソンに書いてやるメモの抜き書きをするために午後をついやす。新聞数種。イギリス軍はペロンヌに迫っている。いたましいペロンヌ！　しかもいま、そこには何がのこっていることか？　（いまもはっきりおぼえている、あの一九一四年の撤退のときのこと。灯火を消した町。やみの中を駆けめぐる懐中電灯の光。人は疲れ、馬はびっこを引きながらの騎兵隊の退却……それに、市役所の階下いっぱいに、また人道の上にまで並べられていた無数の担架！）

十三日、夜

きょう、いつもよりも呼吸が苦しい。だが、ドーソンに送ってやる記録だけは書き終わった。

メモを読み直せてよかった。とてもよかったとさえ言いたいほどだ。グラフをたどるというように、病気の進度をとてもはっきり理解することができた。全体が、一つの重要な文献。おそらく唯一の、とさえ言えるだろう。おそらく大きな価値を持つことになるだろうし、このさき長く研究の基礎をなすものと言えるだろう。自殺の誘惑と戦わなければ。最後までこの分析をつづけるため、それをできるだけ延ばさなければ。せめて自分の死後、いままではっきりつかめなかったこうした症状の完全な文献を残しておくために。

おれはときどき、こうした考えに心をささえてもらっている。だが、べつの時には、こうした考えにほんの少しでも慰めを見いだすため、とても苦しまなければならないのだ……

午前一時

回想。（何か考えごとにふけりながら、とつぜんそれが中断され、そして、観念連想の糸をたぐりながら、考えを逆にその出発点までたどっていけるというのはふしぎなことだ。）

今夜、ちょうどリュドヴィックが盆を手にしてはいってきたとき、よくしめてなかった塩入れのふたが、皿の上に落ちて音を立てた。

おれは、ほとんどそれに気がつかなかった。ところが、ひと晩じゅう、それに手当をしているあいだ中、顔を洗っているあいだ中、メモを写しなおしているあいだ中、おれはおやじのことを思いつづけていた。引きつづく一連の昔の思い出。家族うちそろっての食事のときのこと、ユニヴェルシテ町でひとりさみしく晩飯をとっていたときのこと、ヴェーズ嬢のこと、テーブル・クロースの上におかれた彼女の小さな手のこと、メーゾン・ラフィットで、窓をあけ放し、庭いっぱいにあふれる日の光をながめながらとった日曜ごとの昼飯のことなど……

どうしてだろう？　おれにはそれが、いまになってわかってきた。それは、皿に落ちた塩入れのふたの音が、おれに（機械的に）、いつも食事のはじめにおやじの鼻眼鏡の立てた特殊な音を思いださせたからなのだった。おやじは、自分の席にどっかり腰をおろす。すると、ひものさきにぶらさがった鼻眼鏡が、いつも皿のふちにあたって音を立てるのだった。

おれは、ジャン・ポールのため、おやじについて何か書いておくほうがいいだろう。ほかに誰ひとり、父かたの祖父について聞かせてやるものはいないだろうから。

おやじは、ほとんど人から愛されなかった。息子たちからさえ。おやじを愛するということ、それはとてもむずかしかった。おれは、おやじにたいして辛辣な批判をくだしていた。そういうおれは、つねに正しかったと言えるだろうか？　いまにして考えると、おやじを愛させないようにしていたもの、それはある種の精神力なり、ある種のきびしい徳義心なりの逆作用、ないし過剰だったためのように思われる。おれはいま、おやじの一生が、人に尊敬を強いるものだったと書くことには躊躇を感じる。それでいて、ある角度からながめるとき、おやじの一生は、すべて彼自身善行と考えたことを実行するためにささげられていた。こうして彼の偏癖は、すべての人々を彼から離れさせる結果になった。そして、彼の美徳は、なんぴとをも引きつけなかった。彼の美徳のはたらかせ方にはいっぷうあったため、それは、このうえもない欠点以上に、人々を彼から遠ざける結果になった……おれは、おやじ自身もそのことに気がついていたと思っている。そして、自分がひとりぼっちであることをとても苦しんでいたように思う。

ジャン・ポールよ、おれはいつか、われとわが心をはげまして、おまえの祖父のチボー氏がどんな人間であったか、それを説明しておかなければならないと思う。

八月十四日、朝

またまたおしゃべりのリュドヴィックのやつ。彼は（大きな手をひげにあてて）、「軍医殿、ダロス中尉は仮病ですぜ」と断言した。

おれはもちろん、ちがうと言ってやった。リュドヴィックは、おもわくありげなようすで「ちゃんとわかっているんでさあ」と、言った。彼はさらにはっきり説明した。ダロスが付属病室にいたころに、体温を計りながら《いんちき》をやっているのを見つけたというのだった。たっぷり十五分ばかり運動したあとでなければけっして体温を計らない。そして、体温表に記入するときには、いつも度をふやして書いていた、というのだった……

おれは、そんなはずはないと言ってやった。ところが……じつはおれ自身、ちょっと気になる事実を見つけたことがある。たとえば吸入室で。治療のときのダロスの気乗りのしなさかげん。バルドーなりマゼなりが向こうをむくと、彼はたちまち切りあげてしまうのだ。自分ひとりでする手当の場合には、彼はたいてい逃げていた……こうした怠慢、それはダロス自身、健康のことをとても心配して、おれにもたびたび質問をかけ、自分の《健康はもうぜったいにだめだ》といったりしているだけ、それだけなんとも奇怪なことに思われる……（ダロスは、損傷害をうけていない。気管支がわるく、それがなかなかよくならないのだ。）

夕方、菜園で

おれはここ、ベンチのところへ来るのが好きだ。小道の上にはサイプレスの影。葦の垣。きちんとならんだ花壇。水車の音。じょろを手にして行ったり来たりしているピエールとヴァンサン。リュドヴィックのことが頭について離れない。それがほんとうだった場合、すなわちダロスが仮病をつかっているとした場合、おれはこう心にたずねてみる、《それはいったい悪いことなのだろうか？》と。

事はけっして単純ではないのだ。その相手が誰であるかが問題なのだ。息子ふたりを戦死させたリュドヴィックにとっては、それは悪いことであり、一種の逃亡行為であるにちがいない。彼はダロスを軍法会議にまわしてしかるべきだと思っている。このことはダロス自身の父親にとっても、たしかに悪いことにちがいない。

（おれは、その父親というのをちょっと知っている。ときどき息子に会いに来る、アヴィニョンに住んでいる牧師だ。愛国者である老ピューリタンだ。彼は末息子をいやおうなしに応召させたのだった。）そうだ。ダロスの父親にとっても、これはたしかに悪いことにちがいない。だが、ほかの人たちにとっては？　たとえばバルドーにとって？　彼は四カ月以来ダロスを診察し、ダロスをとても愛している。そのバルドーが気がついたとき、彼はダロスを罰するだろうか？　それとも目をつぶっていてやるだろうか？　そしてダロス自身にしても、彼がじっさい《いんちき》をしているとして、はたして悪いことをしていると思っているだろうか？

そして、このおれ自身にとっては？　おれは、われとわが心にたずねてみる。たしかに、それが良いことであるとは言うことができない。それは、病院に収容され、なおらないように《工夫》している患者にたいする本能的な憎悪の気持ちからだ。それでいて、はっきり悪いことだとは言いきれない。奇怪な事件だ。これをはっきりさせることは興味がある。良いことか、悪いことか？

おれはまず、次のような事実を認める。すなわち、彼がお芝居をやっていると思うといなとにかかわらず、このおれが、ダロスに好意を感じていることに変わりがないということだ。多感で、考えぶかく、教養のある青年。おれは、彼が根から正直な人間であることを信じている。たとい《にせ病人》であるにせよ、おれは彼というものを認めている。彼はたびたび安心しきっていろいろ身の上話をして聞かせた。父親のこと、若いころのこと、性的方面ではじつにきびしかったプロテスタント的教育のこと、それにまた、結婚生活のことまでも。とりわけ、動員令のくだった夜、妻とリヨンで泊まった日のこと。夫妻は、おりから休暇をすごしに行っていたアヴィニョンから、リヨンへ着いたばかりのところだった。ダロスは、翌日早朝、彼の属する予備連隊に入隊しなければならなかった。ふたりは、やっとのことで、一軒の怪しげなホテルに一室を見つけることができた。町は、戦争のごった返しでざわめいていた。おれはいまでも、それを話して聞かせたときの彼の声を思いだす。《テレーズは、おそろしさに身をふるわせながら、泣くまいとして歯をくいしばっていたっけ。ぼくは、彼女の腕にだかれたまま、まるで子供のようにしゃくり泣きながらひと晩をすごしたんだ。忘れようにも忘れられない。彼女は、なにひとこと言うことができず、そっとぼくの髪をなでていた。そして往来では、ひと晩じゅう、絶えまのない砲車の列。そして、耳をろうするばかりのはげしいひびきなんだ》

おそらくいまは仮病患者である彼かもしれない。だが、けっして卑怯者ではないのだ。歩兵勤務四十カ月、二度の負傷、三回にわたる表彰、そして最後に、オー・ド・ムーズで毒ガスにやられた。戦争勃発に先だつ六カ月まえに結婚。夫婦のあいだには子供がひとり。夫人というのは蒲柳《ほりゅう》の質で無資産。マルセーユでささやかな教員生活をしている。そして、彼が毒ガス（軽微ではあるが）にやられたのは今年の二月。彼は、最初トロワの病院で手当をうけた。そして、彼の妻は――おれはこの点を重く見ている――そこへ来て暮らしていた。ふたりは、たっぷりひと月、いっしょに暮らすことができたのだった。つづいて彼は、戦争から千里もはなれているここへ移されてきた。彼はこうして、ふたたび青い空、太陽、休暇の生活をとりもどすことができたのだった……おれには、彼の心におこったことが、手に取るように想像できる！……彼にして、あらゆる方法を講じてその胸部疾患をできるだけ引きのばそうと決心したにしても――そうだ、平和も、それほど遠いことではない――それは、善良なプロテスタントである彼として、良心的な煩悶なしにはできなかったことにちがいないのだ。そして――手当を怠ることによって病勢昂進の危険をおかしてまで――なんとしてでも助かろうと決心した場合、それははたして良いことか、悪いことか？

どうと答えたらいいだろう？

そうだ、たとい彼にしてそうした決心をしたとしても、おれとしては、彼にたいする信用を取り消す気にはとてもなれない。

深夜

不眠、不眠。暗いやみの中にあっての、いつはてるともない瞑想……それは、このおれを、自分自身から、また《亡霊》から、それが不可能でないかぎりにおいて、注意をそらさせてくれる保身の本能とでもいったようなものなのだ。

ダロス。ダロス事件は、なんとしてもかなり重大な問題だ。それが、このおれ自身にもいろいろ問題を提起する意味において、おれにとっても重大な問題だ。

ちょっと話がそれるが、おれは、もはや責任なるものを信じていないのだ。

では、おれには、それを信じていたことがあっただろうか？　あった。医者としてそれを信じることができる範囲において。（おれたちにとっての責任の限度、それはぜったいに、普通一般人の考えるところとぜんぜんおなじものであるとは言えない。――おれは、かつてヴェルヌイユで、狙撃兵大隊付き副官だった老練な医者相手にやった議論のことをおぼえている。われわれは、われらの行為なるものが、われらの存在の、またわれらを取りまいて存在するものの結果にほかならないことを知りすぎるほど知っている。してみるとわれらははたして、われらの遺伝、われらの教育、われらにあたえられた手本、あるいはまた境遇にたいして、責任を持たなければならないのだろうか？　いな。それは、いうまでもないほど明白なことなのだ。）

それでいながら、このおれは、さも自分の絶対責任を信じるかのように行動してきた。そして――

これもキリスト教的教育のせいだろうか?――おれは、良いことをした、悪いことをしたというような、きわめて強い感情を持っていた。

(もちろんそこには弱さもあった。すなわち、あやまちをやったときに、自分にはたいして責任がなかったように思いたい気持ちから。いっぽう、良いことをしたときには、それを言いたてたい気持ちから……)

そこにはかなりの矛盾撞着が見られている。

(ジャン・ポールのために)

矛盾撞着をおそれすぎるな。なるほどそれは居ごこちのわるいものかもしれないのだが、それは健康的なものでもあるのだ。おれの精神がどう解きほぐしようもない矛盾にとらわれているときこそ、おれは、ともすれば逃げようとするほんとの《真実》にいちばん近づけたように思ったことだった。もしおれにして、《ふたたび人生をくり返さ》なければならないとしたら、それはあくまで《懐疑》の上に立ったものでありたいと思っている。

生物学的見方ということ

戦争に参加した最初の何年かのあいだ、おれは――憤慨しながらも――精神的・社会的問題を、ただお手軽な生物学的な方面からだけ考えることで満足していた。(つまり、こういったような考え方だ。《人間、それは、性質上血を好む凶暴な生物、うんぬん……それの引きおこす損害は、これを強靱な社会組織によって制限しなければならない。そして、それ以上あまり多くを期待してはならない》といったような）おれは、コンピエーニュで失敬したファーブル（有名な『昆虫記』の著者）の一冊を、軍用行李の中にひそませて持ちあるいてさえいた。おれは、いい気になって、人間というものを、またおれというものを、ただ闘争、攻撃と防御、征服、いがみあいのために武装した大きな虫であるぐらいに考えていた……おれは、自分自身にたいして、こうそっけなくくり返していた。《ばかめ、この戦争で目をあけてもらったらいいんだ。世の中を、あるがままに見るのだ。宇宙とは、抵抗の弱いものをたたきつぶすことによって均衡を保っている盲目的な力の集合だ。自然のおのおの反対な本能を持った人間どもが、また種族が、たがいにいがみあう殺戮の場所なんだ。そこには、良いも悪いもありはしない。人間のごときも、それは貂《てん》やはいたか以上の何ものでもないんだ……）

負傷者でいっぱいの野戦病院の地下室にいて、どうして正義よりも力のほうが強いという事実を否定することができるだろう？（的確な二、三の思い出。カトーでの夕方。小さな土壁のかげにかくれてやったペロンヌでの突撃。ナントゥイユ・ル・オードゥワンの包帯所、ヴェルダンとカロンヌのあいだ、納屋の中でのふたりの若い狙撃兵の断末魔。）おれは、この世の動物学的事実を、絶望的な気持ちで、いやというほど見せつけられたときのことを思いだす。

ところが、おれの見方は浅かったのだ……おれの陥っていた抜くべからざるペシミスムは、このおれに、息もつけないどん底に落ちこまなければならないことを知らせてくれるべきはずだったのだ。

明かりを消して、すこしとろとろしてみよう。

一時

眠ろうとしても、今夜はとても眠れそうにない。

あのダロスこそは（本人はほとんど気がつかずに）このおれを、十五時間このかた――一生を通じていままでかつてなかったほど――《精神的な問題》で悩ましているのだ！

文字どおりの意味において、これはいままで考えたことのなかった問題なのだ。良いとか、悪いとか。そうした使いならされた調法な言葉。おれはそれを、ほかの誰彼とおなじように、それにたいしてなんら実際上の価値を認めることなしに使いつづけていた。それはおれにとって、なんら強制力を持たない空疎な観念なのだ。おれは、伝統的な道徳律を、ただほかの人々のために承認していたのだった。おれは、たとえば、どこかの革命的政権が勝利をしめたあとでそれらを廃止しようと思いたち――そして、光栄にもそれに関しておれの意見を聞きにでもきた場合――そうした社会的な基礎は打ちこわさないでおいたほうがいいだろうと言ってやる程度において、それらをみとめていたというにすぎないのだ。それらは、おれにとってまったく独断的なもののように思われていた。そしてただ、《ほかの人たち》のあいだにおいてだけ、否定することのできない実用価値を持っているものとして考えていたにすぎなかった。おれとしては、自分自身に関するかぎり、そんなものに、ぜんぜん重きをおいていなかった。

（もっとも、おれはここで考える。もしおれにして——事実そうしたひまもなければ、またそんなことを考えたこともなかったが、——自分自身の生活の規準なるものを明確にしなければならなかったような場合、それをはたしてどういうふうに規制したことだろう？　おそらくそれは、次のような弾力性のあるものだったにちがいない。いわく《自分の生命をゆたかならしめ、自分の発展に資するところのものはすべて善であり、自分の全人格の実現をさまたげるところのものはすべて悪である》と——そうなると、その《生命》なり《全人格の実現》なりという言葉が、まず何を意味しているかということからきめてかからなければなるまい……これはとうてい、いまの自分にできることではない。）

じつのところ、おれの生活をじっとながめていた人々（もしそうした人々があったとして）——たとえばジャック、あるいはフィリップ博士のような人々——は、おれが原則的に自分自身にゆるしていたほとんど全面的な自由さについて、あまり気がついていなかった。というのは、おれは、行動にあたって、いつも、自分自身ではそうしようと思わずに、人々が《道徳》——《正しき人々の道徳》と呼びならわしているようなものにしたがっていたからのことなのだ。それでいながら、おれは、自分の私的生活、あるいは職業的生活の重大な時期にあたって、自分が幾たびか——誇張は避けよう。十五年間に、おそらく三度か四度——必ずしも理論的の範囲にとどまらない自由なふるまいをやってのけたなと意識したことがある。自分の生涯の中で三度か四度、おれは自分が平素受けいれていた法則からはずれた領域、すなわち、そこには理性のおこなわれていない、ただ直感と衝動だけが支配しているような領域に飛びこんでいったことがある。それは、さわやかな、清朗な領域、《高度の無秩序》の領域。おれはそこにあって、おどろくほど孤独で、力に満ちあふれ、安心しきっている自分自身を感じたことだった。安心しきった？　そうだ。おれはたちまち、(さて、このあとをどう結んだらいいかがむずかしい……)――こうでも言おうか、神にとっての純粋な《真理》(それは大文字で書かれた真理)とでもいったようなものに近づけたような気持ちになったのだから、そうだ、おれは、自分の知っているかぎりにおいて少なくも三度、はっきりそれと意識しながら、すべての人々がひとしく信じている道徳律というやつをふみにじったことがある。それでいて、おれは、なんの悔恨をも感じなかった。そういういまも、おれはきわめて平然として、すこしの悔恨の気持ちもなしに、そのことを思いだすことができるのだ。(しかも、このおれは、いままでかつて悔恨といったような経験を持ったことがぜったいになかったと言いきれる。それは、つまり自分の思想なり、行為なりを、それがたといどんなものであったにせよ、単なる自然現象とでもいったように受けいれることのできる本然的な気持ちにほかならないのだ。)

今夜はとりわけ書く気持ちになっているといった感じだ。それに頭もさえている。たといあした、このむくいとしてつらい一日をすごさなければならないにせよ、それはなんともしかたがないのだ。

書いた部分を読み返してみた。それらすべてについて、またそれらを中心にして長いこと考えてみた。

おれはとりわけ、次のような問題を考えてみた。普通一般の人々（つまり、生活を、一般に認められている道徳のおきてに、それとはっきり違反させることなしに過ごしているような人々）の場合、いったい彼らをしてそれにそむかせないようにしているものは何なのだろうか、と。というのは、彼らのうち、《不道徳》とよばれる行為をしようという誘惑を感じないものはほとんどいないだろうと思われるからだ……もちろん、信仰を持った人々とか、宗教的ないし哲学的な深い確信を持っているおかげで悪魔のわなに打ち勝つことのできているような人々の場合は別問題だ。だが、そのほかの人人、そのほかのすべての人々の場合、何が彼らをしてそうさせずにいるのだろう？　臆病からか？　世間の取りざたや、人のうわさをはばかってのことだろうか？　予審判事をおそれてであろうか？　将来、公私の生活にさわる悪い結果のことをおそれてのことだろうか？　もちろんそれもあるだろう。たしかに、それらは大きなさまたげをなすものであり、《心さそわれた者》の大多数にとって、踏み越える気になれないものであるにちがいない。だが、それらは要するに形而下的なさまたげにすぎない。もしそこに、ほかのさまたげ、精神的なさまたげといったようなものがなければ、人間は、宗教的なくびきから解き放されたが最後、あとは、憲兵にたいする恐怖とか、せめては悪評を立てられる恐怖とかいったようなものによって、かろうじて正道に踏みとどまらせてもらえているのだと言えるだろう。したがって、信仰を持たないすべての者は、もし彼にして誘惑に直面したような場合、もし全面的に秘密がまもってもらえ、絶対むくいを受けないことがたしかであったら、彼はおそらくたちまちにして誘惑に身をまかせ、有頂天になって《悪》をおかすにちがいない。……そうだとすると、無信仰者を引きとめるだけの力を持った《道徳的な》考え方というものは存在しないことになる。そして、神の掟とか、宗教的・哲学的な理想とか、そうしたいかなるものにもしたがわない者にとっては、有力な道徳的抑制というものは絶対存在しないことになる。

話はそれるが、こうした事実は、道徳的意識（それにまた《なすべきこと》と《なすべからざること》と、《良いこと》と《悪いこと》とのあいだに、われらがきわめて自然につけている区別）なるものが、その源を宗教に発している服従心が、われわれに先だつ何代もの人々によって長いこと承認されてきた結果として、いまでは身についた性質のように現代人のうちに生き残っている、と説明する人々の説を裏書きするものと言えるだろう。こうした説明もたしかにけっこうだ。だが、おれの考えてるところでは、これはそもそも、神なるものが、人間の仮定したものにすぎないことを忘れた議論のように思われる。というのは、元来人間の発明したものである神が、そうした善と悪との区別を人間の心に課するなどとは考えられないからのことなのだ。逆に、人間のほうでそれを神に帰し、それをもって神の掟としたにすぎないのだ。もしそうした区別にして宗教から出てきているとすれば、それは人間が、かつてそれを神にあたえたからのことにほかならないのだ。すなわち、そうした区別は、人間自身の持っていたものにほかならないのだ。そして、それが人間のうちに深く根をおろしたものであればこそ、人間が、そうした区別に、至高な、そして永久に異議のない権威をあたえる必要を感じたのだ……

さて、どう解決したものか？

四時

話がわき道へそれているあいだに、おれは疲れにまけてしまった。おれは、ぶっつづけに二時間以上も眠ってしまった。まさにこのノートのあたえてくれた特記すべき効果といえるだろう。また、おれの哲学的な下心のあたえてくれた……

おれは、いったいどう言うつもりだったか忘れてしまった。《どう解決したものか?……》そうだった、いったいどういうふうに? それでいて、おれには、どうやら少しははっきりわかってきたような気持ちがした。ただ、どうしてそうなったかの筋道が、どうもはっきりつかめない。

道徳的意識、またそのよって来たるところに関する問題。これをもって、社会的慣習の残存物であると解してはいけないだろうか? (ことによったら、おれは自分につごうのいいように、いやというほど知れわたっている説明をいまさらしく作りあげているのかもしれない。だが、かまうものか。おれには、たしかにこんどはじめて考えたことなのだから。)

道徳的意識が、何かしら神の掟から出てきたものだという考えをしりぞけるとすれば、それは、人間の過去に発したものであり、それを生みだしたところの原因がなくなった後でもなお習慣として生きのこったところのものであり、そして、そうした習慣が、遺伝と伝統とによってわれらの中にしっかり根をおろすにいたったのだと考えざるを得なくなる。要するに、それはいにしえの人間集団が、その共同生活を組織し、その社会的な関係を規律するためにつくりあげなければならなかったもろもろの経験なり、良俗に関する規律なりの残存物にすぎないことになる。こうした道徳意識なるもの、そうした《善》と《悪》との区別なるもの（すなわち、われらひとりひとりの心の中にずっとまえから存在していた区別——それの命ずるところはしばしば不条理でありながら、しかもわれらとしていつも服従せずにはいられないところのもの、そして、われらの理性がためらい、しりごみするといったような場合にもわれらを導いてくれるところのもの、そして、きわめて賢明な人々にも、理性によってはとうてい納得できないような行為をさせるところのもの）が、じつは社会的動物たる人間本来の本能のなごりにすぎなかったのだと考えると、自尊心という点からだけいっても、それはかなり愉快なことであり、かなりうれしいことであり、少なからず感動せずにはいられないことなのだ。つまり、そうした本能は、何千年を通じてわれらの中につづいていたものであり、そして、人間社会は、じつにそうした本能のおかげで、完成に向かって進んでいることになるのだから。

八月十五日、庭で

快晴。晩禱の鐘の音。あらゆるものの上に祭りの気分。空にも、花々にも、晴れた日の輝きの中にゆらぐ地平のながめにも、傲然とした感じがうかがわれる。こうしたこの世の美しさに反抗し、それをぶちこわし、最後の破局を来させてやりたいといった気持ち！　いや、ちがう。むしろ逃げだしたい、身を隠したい、もっと自分というものを深く反省して苦しみたいといった気持ち。

スパ（ベルギーの地名）での大軍事会議。カイゼルと、軍の首脳たち。スイス新聞に三行ばかり書かれている。

フランス新聞には一言半句も書かれていない。これはおそらく、後年、小学校の生徒たちがその教科書の中で学ぶであろう歴史的な日付なのだ。そして、その結果、おそらく戦争の様相が一変するにちがいないと思われる歴史的な日付なのだ……

ゴワランによれば、外務省の連中の中には、今年の冬、平和が来るだろうと言っている連中が多いということだ。

公報には、べつにたいしたことも書かれていない。夕立まえの暑さのように、重くのしかかってくる期待の気持ち。

夜、十時

ゆうべ、苦心して書いたところを読み返してみた。あれほど長々と書いたことに驚くとともに、なんとも腹にすえかねる気持ち。どうやら自分の頭の限界を露呈しすぎたような気持ちだ……（それに、人間にあたえられたなさけない言葉というやつは、どう扱ってみても、それはけっきょく感情を伝えるばかりで、論理を伝えるものではあり得ないのだ！）

ジャン・ポールのために

ジャン・ポールよ、こうした病人の世迷言《よまいごと》からだけ、おまえのおじのアントワーヌを判断してくれないように。おじには、いつもこうした堂々めぐりの観念的な考えかたというやつがにがてだった。

その中に一足ふみこんだが最後、とほうにくれざるを得ないのだ……かつてルイ・ル・グラン（高等中学校）でバカロレア（大学入学資格試験）の哲学科の試験準備をしていたころ（この試験だけは、パスするまでに二度受けなおさなければならなかった）、おれはときどき、ずいぶん苦しんだものだった……無器用な男が、シャボン玉をおもちゃにしようとしているときのような感じ！……死と向かい合っているいまになっても、それにぜんぜん変わりがないのだ。おれは、抽象的な考えごとには根本的に不向きだということに変わりがないままで、この世を去ることになるのだろう！……

夜、十二時に近く

手にしているヴィニー（フランス十九世紀の哲学詩人）の『日記』、これはべつに退屈というわけではないが、絶えず注意がそれがちで、思わず本を手から落とす。眠れないので、いらいらしている。考えごとが、堂々めぐりをつづけている。死。人生のくだらなさ。人間のくだらなさ。理性によって理解しようとすれば、たちまち行きづまってしまい、足をとられてしまうこうしたなぞ。どこまでいっても解決できない、こうした《なんのために？》という問題。

かつての日々のこと、すなわち患者たちのためにあらゆる努力をつくし、《義務》の遂行にあたってはたえず厳格さを心がけていたことを思うとき、おれのようにあらゆる道徳的な規律から解放されている人間でありながら、いったいなんのためにああした、《模範的》とよばれるような生活ができていたのだろう？

（おれはこれまで、才能をもったほかの人々でなければできないようなこうした問題には触れないことにきめていた。そしておそらく、そうすることこそ、それにわずらわされないための賢明な道だったのではあるまいか？）

すなわち、無私無欲な気持ちとか、献身的行為とか、職業的良心とか……そうしたものが、はたして何によるものか？　といったような問題……

だが、傷ついた雌獅子が、小獅子どもから別れたくないために打ち殺されるというのは、はたしてなんの理由によるものだろう？　ねむり草が葉をたたむのは、なんの理由によるものだろう？　あるいはまた、白血球のアメーバ運動、あるいはまた、金属類の酸化は？……

けっきょく、それはなんのためでもないのだ。それを問題にするというのは、とりもなおさず《何か》あってほしいとねがうからのことであり、形而上学のわなに陥ることにほかならないのだ……そうだ！　可知の限界を認めなければならないのだ。（ル・ダンテック（フランスの生物学者）その他のように……）英知とは、《なにゆえに》ということをたずねるのをやめて、《いかにして》ということに満足するにある。（《いかにして》というだけでも、すでにありあまるほどの問題があるのだ！）何よりもまず、どんなことでも説明がつく、それに筋をかよわせることができるといったような子供らしい考えをすてなければいけない。自分自身、さもまとまった体系をなしてでもいるように、自分自身にたいし、自分自身を説明しようなどと思うことをやめることが必要だ。（おれは、長いこと、自分にそうしたことができると思いこんでいた。チボー家ふうの傲慢心とでもいったようなものか？――それとも、このおれ自身の思いあがりか……)

それにしても、いろいろな態度のうちには、次のような態度も考えられる。それは、だまされないことを条件として、道徳的習慣にしたがうということ。秩序をもって、道徳的実在であるかのように考えたりしないで、秩序のごときは、共同生活の実際上の必要、尊重すべき社会的福祉の条件以上の何ものでもないということをいつも念頭におきながら、しかもそうした秩序を愛し、それを望むということ。(《善》と書きたくないので、秩序と書く。)

だが、何より腹だたしいのは、自分が秩序にしたがわせられていると思いながら、しかも自分の服従している法則なるものがどういうものであるかを知らずにいるということだ! おれは、久しいあいだ、いつかはそのなぞが解けるだろうと思っていた。ところがおれは、おれ自身についても——またこの世界についても——たいしたことも知らずに死んでいかなければならない人間なのだ……

これがもしひとりの信者だったら《そんなことはきわめて単純なことなのだ!》と言えるだろう。だが、おれにとってはしからずなのだ!

とても疲れている。なんとしても眠れない。不眠の苦しさというやつだ。何をおいても休息を望む肉体の疲労と、ねむけをよせつけない無統制な精神の活動力との衝突。

すでに一時間まえから、輾転反側しつづけている。それは、次のような考えになやまされてのことなのだ。《おれは楽天主義をふりかざして暮らしてきた。いまさら懐疑や否定のままで死んでしまってなるものか》

おれの楽天主義。おれは楽天主義をふりかざして暮らしてきた。自分では、そうと意識していなかったにしても、今日から見ればはっきりそうだったと思われる。おれが絶えずそそり立てられ、ささえてもらっていたあの楽しい直観と活発な信頼との状態。思うにそれは、科学と関係があったればこそであり、科学によって毎日力づけられていたからのことなのだ。

科学。これは単なる知識以上のものなのだ。それは、宇宙——すなわち、科学によってその法則が予感されている宇宙と調和したいとねがうこころなのだ。（そして、この道をたどるものは、ついに《不可思議》の世界に出る。それは、宗教における不可思議より、さらにひろびろとした、さらに胸おどらせずにいられないところのものなのだ！）人は、科学によって、自然と、その秘密とに触れていること、またそれと調和していることを深く感じることができるのだ。

それは、宗教的感情とでもいったようなものか？　この言葉にはちょっと辟易する。だが、それはそれとして……

仁愛、希望、そして信仰。おれはいつかヴェカール神父から、おれもやっぱり、神学上の徳を実践しているのだと注意されたことがあった。おれは、それにたいして異議をとなえた。《仁愛》《希望》しかたなしにこれだけは認めた。だが、《信仰》については、固くご辞退申しあげた。それでいながら？　もし今日、十五年にわたっておれをささえつづけてきた不断の熱情を意味づけようと思ったなら、そしてまた、あの不《ふ》撓《とう》不屈《くつ》だった信念の隠れた意図を求めようと思ったら、おれはそこに、信仰にかなり近いものを見いださずにはいられまい……しからば、何にたいする信仰なのか？　そうだ、それは、たとえば生きとし生けるものにゆるされている成長、そして、無限なるべきその成長にたいしての信仰とでもいったようなものだろう。《万物すべて、より高き状態にあこがれているということにたいしての信仰……》とでも言ったようなものか。

おれは、自分でもそうと知らずに《合目的論者《フィナリスト》》だったというのだろうか？　そんなことはどうでもいい。いずれにせよ、おれには、それ以外に《合目的性《フィナリテ》》を認めることができないのだ。

八月十六日

発熱。呼吸困難。いつにもましたかすれ声。いくたびかオゾンのたすけを呼ばなければならなかった。起きはしたものの、外へは出なかった。

ゴワランが、新聞を持ってやって来た。あいかわらず、この冬こそ平和がくるにちがいないと信じている。巧妙な論理で、そして力をこめて自説を主張する。奇妙な男。せまり合ったまぶしそうな目、長い鼻、うさぎの鼻面といったように突きだした顔のしめしているなんともたまらない心配そうなようすとくらべて、いかにも安心できそうなことを口にしているところが、じつに奇妙な感じをあたえる。絶えまなしに咳をする。痰をはく。自分の職業について語りながら、それが単なる仕事とでもいったような話しぶりだ。だが、アンリ四世校での歴史教師だったら、それはけっして無意味な、楽しくない仕事であろうはずがなかろうじゃないか。それにまた、高等師範《エコル・ノルマル》にいたころの話。とかく難癖つけたがる男。自分を正しいと思わせるためには、好んではたを非難する。ときどき、こいつ、いかものではないかと思わせる。おそらく、あまり利口すぎるからだろう——自分だけいい子になって、ほかのものにたいしては、なんら意にかけず、仮借するところのないといった利口さ。それに、しばしば機知をまじえる。

機知？　機知のあり方には二種類ある。語られることの内容に機知がしめされる場合（たとえばフィリップ博士の場合）。さらに一つは、それが話し方だけにしめされる場合。ゴワランのは、何ひとつ機知のあることを口にしない、ただ機知がありそうに見せるというやり方なのだ。ちょっとした話し方とか、語尾に力をいれるとか、ちょっと声をはずしてみせるとか、何かしらこっけいな身ぶりをしてみせるとか、言葉の略された、神がかりめいた言いまわしとか、ひとつひとつの言葉のうらに、何か思わせぶりなところを見せて、皮肉そうに目をしばだたいてみるとかいったようなやり方。フィリップ博士の言った言葉は、それをくり返してみた場合、その辛辣さなり、鋭さなりがそのまま残っていて、いつでも人をぎくりとさせる。ところが、いくらゴワランの言葉をくり返してみても、多くの場合、そこにはなにひとつも残らないだろう。

八月十七日

呼吸はますます困難。レントゲンで見てもらう。蛍光板によると、深呼吸をしてみても、すこしも横隔膜の動かないことがしめされている。バルドーが、三日間の休暇を取った。とてもからだぐあいが悪い。何一つ物が考えられない。

八月十八日

からだぐあいの悪い毎日、そのうえ、からだぐあいの悪い毎晩。バルドーの留守のあいだ、マゼに別の手当をしてもらう。

八月十九日

手当の結果、たまらない疲れ。

八月二十日

ふしぎなことに、けさはとても軽快だ。ゆうべの注射で、五時間近く眠ることができた！　だいぶ気管のとおりがいい。新聞を読む。

夜

午後のあいだ、ずっとうとうとしてすごした。発作はすっかりとまったらしい。マゼは満足している。

ラシェルの思い出になやまされる。いろいろな思い出がついて離れないのは、衰弱の徴候とでもいうのだろうか？　元気に暮らしていたころは、思いだしたりはしなかった。過去のことなど、まったく問題にしなかった。

ジャン・ポールのために

道徳。道徳的な生活。人はめいめい、自分自身で自分の義務を見いだし、その義務の性質と限度をきめなければならない。不断の経験を通じ、たゆまぬ探求を通じて、自分自身の判断によって自分としての態度を選ばなければならない。たんねんな訓練。相対と絶対のあいだ、可能と希望とのあいだを泳いで、しかも、われらの中にある《深い英知》の声に耳をかたむけながら、現実を見おとさないようにしなければならない。

自分自身をまもること。あやまちをおそれないこと。たえず自己を否定することをおそれないこと。自分自身を解明し、自分自身の義務の発見をさらに深く推しすすめるために、自己のあやまちをみとめなければならない。

(事実、自分自身にたいする以外、義務などというものはないはずなのだ。)

八月二十一日、朝

新聞。イギリス軍はほとんど前進していない。フランス軍もおなじくだ。ただ、あちらこちらでわずかな進出を見せているだけだ。公報どおりに《わずかな進出》と書いておく。だが、このおれには、《進出》している連中に、その進出がどんなものであるかが見えるのだ。砲弾の落下でできた穴。交通壕の中を腹ばいになっての行進、どっとばかりに包帯所への殺到……

治療をうけるためにベッドをはなれた。朝食は、下へ行って取ることにしよう。

夜、ナイト・ランプのかげで

少し眠ってみたいと思っていた。（ゆうべは体温ほとんど正常、三十七度八分。）だが、ひと晩じゅう寝つかれず、一瞬たりとも自分を忘れることができなかった。そして、もう夜明け。

それにしても、きわめておだやかな夜だった。

二十三日、朝

ゆうべは停電で書きつづけられなかった。おれは、あのすばらしいゆうべの流星のことを書きとめておきたい。

とても暑かったので、一時ごろ、ローラー・ブラインドをあけに行った。おれは、ベッドの中にいながら、美しい夏の夜空のなかにとけこんでいた。深々とした夜の空。まるで榴散弾《りゅうさんだん》の炸裂でいっぱいになったような空。火の雨、あらゆる方向へむかう星の川。おれは、ソンム川の攻撃、マレオクールの塹壕、八月十六日の夜のことを思いだした。流星と、イギリス軍の曳火信管が、夢の世界の花火さながら、すれちがい、入りまじっていた。

おれはたちまちこんなことを思った（そして、じっさいそうだと信じている）。いつも心で、星の世界に生きているように思っている天文学者は、ほかの者たちよりずっと楽な気持ちで死ねるだろうと。

それらのことについて、おれはいつまでもいつまでも考えていた。空に吸いこまれる眼差し。無限な、そして望遠鏡が少しでも改良されると、たちまち距離を深くしてゆく空。それは、あらゆる空想の中で、とりわけ心をなぐさめてくれる空想というべきなのだ。この限りない空間、すなわちそこでは、われらの太陽とおなじような無数の天体がゆっくり回転し、そこでは――われらの目にとても大きなものに見え、地球にくらべて百万倍も大きいはずの太陽でさえ、まったく取るにたりないもの、何千何万というほかの星の中で、単に一つの単位にすぎないといったような空間……

天の川。これこそは無数の星、無数の太陽のこなであり、そうした天体のまわりを、たがいに何千万キロもへだたりながら、何十億という天体がまわっている！　それにあの星雲、そこからは、数しれぬ未来の太陽が巣立ってくる！　しかも天文学者たちの計算によれば、こうした密集した無数の世界も、あの無限の空間――そこでは、われらにその全部がわかっていない無数の放射、重力による無数の反作用が縦横に飛びかい、そのためにたえずふるえつづけているらしいエーテルの世界にくらべるとき、ほとんど無にひとしいものであり、ほとんど取るにもたらぬ小さな位置しかあたえられていないという。

こう書くだけで、すでに想像力はゆらめかずにはいられない。何やらたのしい目まいとでもいった感じ。今夜はじめて、そしておそらくこれを最後に、おれは自分の死について、一種の落ちつき、一種超然とした無関心な気持ちで考えることができた。苦悩から解き放され、そして、滅びゆく肉体にたいして、ほとんどどうでもいいといったような気持ちがする。おれというもの、それはまさに無限小な、そしてぜんぜんなんの興味にも値しない一個の物質なのだ……

こうした平静さを見いだすため、おれはこれから毎晩、空をながめる決心をした。

そして、いまは朝。新しい一日。

午後、庭で

おれは、感謝の思いをこめてふたたびこの日記を開く。いままでかつて、きょうほどこの日記が、その目的、すなわち、おれから亡霊をはらいのけるという目的にかなっているように思われたことはなかった。

おれはまた、ゆうべの空のながめに心をうばわれている。

人間というものの持つ防水性。われらもまた、たがいに出あうことなく、またたがいに溶けあうことなく、たがいのまわりを回転しているだけなのだ。ひとりひとりが、自分ひとりで進んでいるのだ。ひとりひとりが、密閉した孤独のなかに閉じこもり、ひとりひとりが皮袋のなかに閉じこもっているのだ。人生を生きるため、そしてやがて姿を消してしまうために。不断のリズムにつれて、引きつぎ引きつぎ、人は生まれ、人は死ぬ。この世にあって、一秒間にひとりが生まれ、一分間に六十人が生まれる。一時間に、三千以上の嬰児が生まれる。そして、それに劣らぬだけのものが死ぬ！　来る年ごとに、三百万の人たちに代わって、三百万の人間が新しく生まれる。このことを心の底から理解し、それをわがものとし、《現実的につかむことができた》としたら、はたしていままでどおり、自我本位の気持ちから、自己の運命に、夢中になりつづけることができるだろうか？

六時

きょうはなんだか浮きうきした感じ、目がさめるほど身が軽くなった感じ。自分の部分性をはっきり意識している、生きた一片の物質といったような感じ。

かつてパリで、ゼランジェが、友人のジャン・ロスタン（生物学者。劇作家エドモン・ロスタンの次男）をつれて一夕われらのところにやって来たときの、きわめて興味ある会話のことを思いだした……

こうした広大な宇宙のなかにあっての、じつにふしぎな人間のありかた。それは、かつてロスタンが、明確な、そして思いあきらめたといったような声で、学者らしい慎重な断定と、いかにも詩人らしい叙情的な感動と、あざやかな表現とをもって定義するのを聞いたときとおなじように、きわめて明白に思いだされる。死を間近にひかえたいま、そうした考えには、特殊な魅力が感じられる。おれは、つつましい気持ちでそうしたことを思いつづける。おれは、そこに、わが絶望にたいする慰めを見いだしたとでもいうのだろうか？

おれは、本能的に形而上学的な空想を拒否している。したがって、いままでかつて、虚無ということをこれほど明白に考えたことがなかった。おれはいま、恐怖を感じながら、本能の反抗を感じながら、それに近づいて行く。そして、それを否定したり、愚昧な希望に助けを求めたりしようといった気持ちはぜったいにない。

いままでかつてなかったほど、取るにもたりない自分というものが意識される。それにしても、このおれ自身というものは、なんとふしぎなものだろう! おれは、このふしぎな細胞の集合、ここしばらくはまだこのおれであるところのものを外からながめている。おれには、すでに三十年以上もまえから、自分自身の奥深いところに、このおれ自身をつくっている無数の細胞のふしぎな交流が行なわれているのが目に見えるように思われる。こうしたふしぎな化学的反応、こうしたエネルギーの変化、それこそ、おれ自身気のつかないうちにおれの脳皮質細胞の中でできあがり、このおれを、いま、こうして物を考え、物を書いているところの動物にさせている。おれの思想、おれの意志……それら、おれ自身あれほど得意になっていた精神的活動力のすべてまで――それはけっきょく、おれ自身とは独立した反射作用の集合物にすぎず、またきわめてたよりのない自然現象の一つにすぎず、それを永久に停止させるためには、わずか数分間の細胞呼吸の停止でじゅうぶんなのだ……

夜

ふたたび床につく。落ちついている。頭はさえて、ちょっと酔っているような感じ。

人間について、また人生について考えつづける……おれは、驚きと感嘆とのまじりあった気持ちで、最後にこのおれ自身という花を咲かせることになった一種の有機的系列について考えてみた。おれの心には、自分の背後に、何十億という世代を通じた生物の歴史のあらゆる段階が思い浮かぶ。おれは、原初、すなわち、煮えたぎる海の底か、あるいは燃えさかる地殻の上で、いつの日にか、またどことも知れず、不可解な、そしておそらくは偶然の化学的結合物が生みだされ、そこから原形質の最初のあらわれが生みだされたときから、それが後に、意識を持ち、秩序とか、理性の法則とか、正義とかを考えることのできる、不可思議な、そして複雑な動物となるまでのことを——そして、デカルトが生まれ、ウィルソンが生まれるにいたるまでのことを考えてみた。

そして、おれは、次のような、とほうもない、それにしてもきわめてもっともらしいことを思いついた。すなわち、人類などよりずっと高級な生物を生みだすはずだったほかの生命形態は、おそらく宇宙的な大変動の結果、まだ形を取るにいたらないうちに滅ぼされてしまったのではないだろうか、と。現代の人間をその最後の一環とする有機的連鎖が、長い時を通じて今日までつづいているということ、それが絶滅されることなしに地球上の無数の地質学的大変動を通過してきたということ、また自然の盲目的な浪費をも運よくまぬかれ得たということ、それはまさに奇跡的というべきではないだろうか、と。

だが、こうした奇跡が、はたしていつまでつづくことだろう？　人類は、いかなる（避けがたき）終局に向かって進みつつあるのだろう？　人類もまた、かつて存在していたことのわかっている三葉虫、巨大なさそり、無数の遊泳動物、匍匐《ほふく》動物が姿を消したのとおなじように、姿を消すのではないだろうか？　それともまた、人類は運よく、あらゆる混乱の中をくぐりぬけて地球上に存在をたもち、このさき長く進化しつづけてゆくのだろうか？　それもはたしていつまでか？　太陽が冷却し、運行をやめ、ついに人類に熱を送ってくれなくなり、人類が生きられなくなるまでか？　そして、人類は、姿を消すまでに、はたしてどれだけの新しい進歩をなしとげているだろう？　考えただけで目まいがしそうだ……

はたして、なんの進歩があり得るか？

人類だけに、何か特権のある役割をあたえてくれるような宇宙的構想などは考えられない。すでに多くの自然の不条理、矛盾にぶつかってきたおれには、先在的な大調和などといった考えも承認できない。いままでかつて、人間の呼びかけ、その問いかけに答えてくれたような神は一つもなかった。神の答えと思っていたものは、その実、人間自身の声のこだまにすぎなかった。人間の世界は、閉ざされた世界、人間だけに限られた世界だ。人間にゆるされた唯一の望みは、その欲望を満たすため、この限られた領域を十二分に利用するということ以外にない。しかも、その土地たるや、微々たる人間にくらべては大きいにせよ、これを宇宙とくらべるとき、取るにもたりない小さなものだ。科学ははたして、これだけで満足すべきことを人間に教えてくれるだろうか？　みずからが微々たることの意識によって、そこに安定と幸福とを見いださせてくれるだろうか？　それは、必ずしも不可能なことではないかもしれない。科学は、さらに多くのことをするだろう。すなわち、人間に課せられた限界のこと、人間を生んだ偶然のこと、人間が取るにもたりないものであることをも教えてくれよう。それは、人間をして、今夜このおれが感じているような平静な気持ちに、ずっとさせてもくれるだろう。いまの自分にせまっているあの虚無を、すべてをのみこむあの虚無を、ほとんど平静な気持ちでながめさせてもくれるだろう。

二十三日

起きぬけ。いつもにくらべて、いくらか長い、いくらか深い眠りをとることができた。からだもやすまった。この息苦しい痰さえなかったら、この穴のあいたふいごのような息づかいさえなかったら、ほとんど爽快とさえいえるのだが。

陶酔とでもいったような気持ちで眠ることができた。絶望的な、それでいて甘美な陶酔。けさ、ふたたび苦しく思われているすべてのものも、ゆうべはいかにも軽やかな、なんでもないもののように思われていた。虚無も、それに、わが身にせまっている死も、ともになんら反発を感じさせない、何かしら特殊な、確実なものであるとして感じられていた。これは必ずしも、宿命論といったようなものではない。そうだ、それは、病気と死とによって、宇宙の運命に参加しているといった気持ちなのだった。

これからも、ゆうべのような心境になりたいと思う！

昼食まえ、ヴェランダのかげで。会話。蓄音機。新聞。

ノワイヨンの前面、それにオワーズ川とエーヌ川のあいだの戦線全域にわたって戦闘が行なわれている。二十四時間で四キロの前進。わが軍は、ラシニーを占領した。イギリス軍は、アルベール、ブレー・シュール・ソンムを取りかえした。（そのブレーでのことだった。そこの修道院の裏手のところで、ドラクールのやつ、野天便所で用たしをしながら、流れ弾をくってなんともばかばかしい死に方をした。）

夜

きのうとおなじような平静さを取りもどすことができた。今夜、晩飯のとき、とてもはげしい、とても長い呼吸困難の発作。そのあとからは、はかりしれないほどの疲れかた。

二十六日

昨朝以来、胸骨後部にほとんど不断の疼痛。それが今夜は、とりわけがまんできないほど痛んだ。そして、それにともなっての嘔吐。

二十七日

夜七時。牛乳を少し飲んだ。もうじきジョゼフがやって来る。そして、あしたの朝までは顔をださない。彼の来るのを待っている。足音に耳をすます。彼には、しなければならないたいせつな仕事が山ほどある。ベッドをととのえ、まくらをならべ、かやをつり、水薬をつくり、尿器をととのえ、よろい戸をおろす。それから痰壺のそうじ。手の届くところに、水の入ったコップ、滴薬のびん、それに、電灯とベルのスイッチ……――《軍医殿、おやすみなさいまし》――《おやすみ、ジョゼフ》それから先は、八時半、エクトールおやじのくるのを待つ。夜間勤務の衛生兵だ。何ひとつ口をきかない。ドアを細めにあけ、顔をつっこむ。《まいりましたよ。あっしが起きていますから、ご心配なく》とでもいうようなのだ。

それから先は孤独。いつ果てるともない夜がはじまる。

深夜

元気がない。自分の中の、何から何までが狂った感じ。何から何までが、この自分に、というのは、自分の死に結びついて考えられる。昔の誰かのことが心に浮かぶ。おれはすぐにこう思う。《あいつもきっと、おれがだめなことを知らずにいる》あるいは《死んだ知らせがとどいたとき、あいつ、なんと思うだろう?》

二十八日

疼痛がやわらいだ感じ。おそらく、やってきたときとおなじように、消えていってくれるのではあるまいか?

レントゲンの結果おもしろからず。このあいだの調べにくらべて、筋肉組織の分胞作用がおどろくほど目だってきている。とりわけ右肺が。

八月二十九日

だいぶらくになる。四日にわたる苦しみで、とても疲労している。

公報。新攻勢（スカルプ川からヴェール川にかけて）着々進行。イギリス軍は、ノワイヨン目ざして進出している。わが軍は、バポームを手に入れた。

ジャン・ポールのために

おまえもきっと傲岸になるだろう。おれたちにしてもそうなのだ。自分自身を肯定せよ。文句なしに傲岸たれ。謙譲こそは、人間を小さくさせる寄生虫的美徳にすぎない。（それに、きわめて多くの場合、それは自己の無力にたいする自意識以外の何ものでもないのだ。）思いあがり、謙遜、ともに禁物。強くなろうと思ったら、自分自身強いことを知らなければ。

あきらめたがったり、服従したがったり、人に命令されたがったりすることや、服従をもって得意としたりすることは、これもまた寄生虫的な観念だ……自由をおそれる結果なのだ。自分を大きくしてくれるような美徳を選ばなければ。最高の美徳、それはすなわち精力。自分を偉大ならしめてくれるもの、それは精力をおいてほかにない。

ただし、その報いたるや、すなわち孤独。

三十日

すでにノワイヨンを攻略した。だが、そのために払われた犠牲は？

新聞に、さも戦争が終結に近づきつつあるように書かせていることは不審にたえない。アメリカの戦争介入は、単に軍事的な勝利、軍事的な平和に満足するためだけではなかったはずだ。ウィルソンは、ドイツとオーストリアとを政治的に倒そうと思っているのだ。彼らから、ロシアの支持を取りあげようと思っているのだ。だが、事態の進行から考えて、まさに六カ月で、両帝国の崩壊や、ベルリン、ウィーン、ペテルスブルグに、有効な交渉相手としての強固な共和政体の樹立をはたして期待できるだろうか？

わが部屋の窓。ぴんと張りきった六本ばかりの電線が、乾板の上の線のように長方形の空を横ぎっている。夕立のあった日には、小さな水玉が、何センチメートルかの間隔をおいて、ぜったい一つになることなく、どれもこれもおなじ方向へ向かってあとから電線の上をすべってゆく。そうしたとき、おれには何も手につかない。ほかのことなどには気がつかない……

九月

一九一八年九月一日

新しい月。おれには、この月の終わりを、はたして見とどけることができるだろうか？また下へおりて行くことにした。下へ行って昼食をした。

ひげそりをやめてから（七月以来）、おれはほとんど、洗面台の上の鏡に顔をうつしてみるおりがなかった。さっき事務室で、おれはとつぜん鏡にうつった自分の姿を見た。おれは一瞬、そのひげむしゃな、死にかけている男を自分だと思うことをためらった。《ちょっとした衰弱だな》と、バルドーが言った。《悪液質》と言うべきなのに！

こうした状態が、このさき何週間かつづくのはがまんできない……

イギリス軍は、ケンメル山を奪還した。わが軍は、北部の運河地帯を攻撃している。敵は、リス川（ベルギーの川）方面に退却中。

一日、夜

ラシェル。なんでラシェルのことを思いだしたりしたんだろう？

ラシェル。とび色をしたまつげ。その眼差しを取りまいている金色の暈輪《ヘーロウ》。成熟しきった眼差し！官能の喜びを見られまいとして、おれの目をかくした彼女の手。引きつれたような、ずっしりとした手。それは、唇もろとも、全身の筋肉もろとも、とつぜんぐったりゆるんだものだった……

九月二日

風が少しあった。おれは建物のかげに腰をおろしていた。上のほうでは、ヴェランダのところで、ゴワラン、ヴォワズネ、それに曹長が、学生時代の話をしているのが聞こえていた（カルティエ・ラタン、スフロ亭、ヴァシェット亭、ダンシング・ホール、女たち、等々……）。おれは、しばらく耳をかしていたが、やがて、いらだたしい、腹の立つような気持ちになってホールの中へはいって行った。気持ちも動揺していたにちがいない。

ジャン・ポールよ、むだに時をついやすことをおそれすぎてはいけない。いや、おれはこんなことを言うはずではなかった。それよりむしろ、おまえは、人の一生が想像以上に短いこと、おまえ自身を打ちだすためにはきわめてわずかな時しかないことを知るべきなのだ。それでいながら、青春のいくらかを浪費することも忘れてはいけない。いまや死に臨んでいるおまえのおじのアントワーヌは、その青春をぜんぜん浪費しなかったことを思いだし、なんともたまらない気持ちになっているのだ……

九月三日

しののめの微笑。

ジャン・ポールよ、おれは、今夜おまえの夢をみた。おまえは、ここの庭にいた。そして、おれはおまえをじっとだきしめ、そしておれは、たくましく、張りきっているおまえ――まるで、何をもってしてもふせぎとめることのできないほど溌剌と伸びつつある若木とでもいったようなおまえを感じていた。そうしたおまえは、つい数週間まえ、おれがこのひざの上にだいた子供のおまえであると同時に、かつて子供であり、後に医者になったこのおれ自身でもあるように思われた。朝、目をさますと、おれには、はじめてこんな考えが思い浮かんだ。《あいつ、医者になるんじゃないかしら?》

おれの想像は、それを中心としてあれやこれやと考えつづけた。そして、おれはいま、おまえのために、いくつかの文献、いくつかのノートの包み、すなわち前後十年にわたる観察、研究、それにほんの下書き程度のものではあるが、いくつかの着想をのこしておいてやろうと思っているのだ。おまえが二十歳になり、そしておまえにそれが必要でなかったら、誰か若い医者にやるがいい。

だがおれは、自分の夢をすてたくないと思っている。おれの仕事をつづけてくれるであろう若い医者、おれはけさ、それがおまえであり、またおまえであってくれたらと思っている……

正午

喉頭《こうとう》の練習をやめたこと、呼吸練習を切りあげたこと、それがどうも悪かったらしい。二週間で病状悪化、その結果、けさは電気焼灼《しょうしゃく》をうけなければならなかった。

午前中はベッドについていた。

新聞。《労働記念日》の新しいメッセージをいくたびか読み返した。簡潔高邁なちょうし。良識にとんだ措辞。ウィルソンは、真の平和は、ヨーロッパにおける均衡の建て直しとは別個のもので、さらにそれ以上のものでなければならないとくり返している。彼は、はっきり、これは《解放戦争である》と述べている。(アメリカ独立戦争の場合とおなじように。) そして、ふたたび昔のように低迷に陥らないようにすること、戦争まえのヨーロッパにおけるあのパラドクサルな状態、すなわち、平和的な、勤勉な各国民でいながらしかも軍備のために破産にひんし、国境の中にあっていつも統制をうけて暮らしていたような状態を、これを機会としてはっきり清算すること、和解しあった各国間の連合を打ち立てること、すなわち、旧大陸にも、U・S・Aをして威厳あらしめているような安全感《シキュアリティ》をあたえるような平和、勝利者もなく、屈伏者もないといったような平和、あとになんら復讐の種を残さないような、他日戦争思想の復活を助けるような何ものをも残さないというような平和をもたらさなければならないと述べている。

ウィルソンは、そうした平和のための第一条件としてはっきり次のことを指摘している。すなわち、そのためには独裁的政府を打倒しなければならない。これこそ根本的な目的なので、ゲルマン的帝国主義が根絶されないかぎり、独墺ブロックにして、民主主義への進展の道を取らないかぎり、そして、あのまちがったかずかずの考え方 (まちがったというゆえんは、それが人類の全的利益に反しているからのことなのだ)、すなわち、帝国主義的神秘思想、力にたいする極端な礼賛、そして、他国民にたいするドイツ国民の優越ということから、ひいてはドイツ人は他国民に君臨する権利ありとする信念（これこそはじつに、カイゼルを取りまく面々の救世主義《メシアニズム》というやつなのだ。それはひとりひとりのドイツ人を十字軍士にさせ、その使命として、ゲルマン的覇権《ヘゲモニー》を世界に強制させようとするものなのだ）、そうした考え方の根本を打倒しないかぎり、ヨーロッパの安全は得られないと述べている。

夜

晩食をすませたゴワラン、ヴォワズネの楽しい来訪。ドイツについていろいろ話す。ゴワランの主張するところでは、力にたいするああした不祥な神秘的な考え方は、帝政制度の結果というより、むしろ一つの人種の人種学的、種概念的性格によるものであり、それは理論的なものというより、むしろ本能的なものだという。それについていろいろ議論をする。ドイツとプロシャとはおなじものではないということなど……ゴワラン自身も、ドイツには、平和的、自由な国家が形成されるために必要なあらゆる要素の存在を認めている。だがそれは、ゲルマン的メシアニズムが、人種的な本能だった場合においてものことだろうか？　独裁的制度が、それを助長し、それを発展させ、それを利用することは明白だ！　そうした悪のドイツをなくすこと、それは、われらにして勝利者となった場合、一にそのときのわれらの態度いかんに、講和条約いかんに、戦敗者にたいするわれらの態度いかんにかかっている。ウィルソンが、ドイツ国民をしたがわせようとしている民主主義の教育は、講和条約が、ドイツ国民になんら報復の口実をあたえないようなものであった場合、はじめてメシアニズムをして無用なものたらしめ、それをにぶらせ、ないしそれをしてほかの目的へ向かって転換させることができるのだ。それには、十五年の年月を必要とするだろう。おれは希望を持っている。おれは、一九三〇年以後のドイツ、共和的であり、族長的であり、勤勉であり、平和的であるドイツが、ヨーロッパ連合のきわめてしっかりした一つの保障になるだろうと考えても、それはけっして考えちがいではないと信じている。

ヴォワズネは、一九一一年十一月のことを話していた（同年同月、フランスは、モロッコ問題解決のため、ドイツにたいして仏領コンゴの一部を割譲した）。きわめて正しい。カイヨーの策した独仏協調が、なぜ戦争を単に延期させるだけにとどまったか？　それは、協調が、ドイツの政治形態を変えるものでなかったから——また、変えることができなかったからのことなのだ。ドイツの、オーストリアの、またロシアの目的が、つねに彼らの皇帝、彼らの大臣、彼らの将軍たちの目的にほかならなかったからのことなのだ。ウィルソンは、それらすべてを看破したたのだ。プロシャ精神、チュートンの精神、帝政制度の精神、カイゼルの覇権《ヘゲモニー》への野望、また汎ゲルマン主義の精神を突くのでなければ、カイゼルひとりを打倒したところで、それはまったく意味をなさない。つまり、その禍根を除かなければ。帝政制度の精神をしてぜったい生き返らせないため。そのときはじめて、永遠の平和が保証される。

ヘーグの平和会議を流産させたもの、それは、独力よく全ヨーロッパを向こうにまわしたカイゼル政府だったことを忘れてはならない。（ゴワランの口からは、次のような詳細な事実が語られた。すでに軍備縮小については満場一致の賛成が得られ、その効果大いに期待すべき協定まで結ばれていたのに、いざ調印という直前、ドイツ代表は、本国政府から調印不参加の指令を受けたというのだった。）ドイツ帝国は、その日、まさに仮面をぬぎすてたというわけだった。もしもそのとき、仲裁原則が可決されていたとしたら、もしもそのとき、軍備制限が、ほかの諸国とおなじように、ドイツによっても承認されていたとしたら、一九一四年におけるヨーロッパ情勢はまったくちがったものになっていただろう。そして、たしかに戦争も避けられたにちがいないのだ。この事実を忘れてはならない。大陸の中心に腰をおろしている汎ゲルマン主義的拡張政策が、それにより、国家的自尊心を計画的にあおり立てられている六千万国民のうえに絶対的勢力をふるいつづけているかぎり、ヨーロッパの平和はあり得ないのだ。

九月四日

けさからかけて、たえず移動し、連続した、きわめてはげしい横膜の疼痛。（ほかの痛みに加えての。）

公報は、ふたたび、ペロンヌ奪還を報じている。ペロンヌが、八月以来敵の手に落ちていたことについては、一度も発表がなかったように思っている。

フィリップ先生から短い手紙。パリでは、フォッシュ将軍が、同時に三面攻撃に出る策を立てているという評判。一つはサン・カンタン方面。第二はエーヌ川方面。第三は、アメリカ兵をも参加させてのムーズ川方面。フィリップ博士も言われるように《これからまだまだ犠牲者が出るだろう……》ウィルソン原則による和協までに、まだどれだけの人が死ぬだろう？

ゴワランがやって来た。憤慨していた。ウィルソンのこんどのメッセージが、夕食のときに引きおこした論争について話して聞かせてくれた。誰も彼も、ほとんど声を一にして、国際連盟をもって、こんどの戦争後、その牢固たる組織によって、何よりもまず独墺両国にたいする文明諸国の同盟を継続するための手段としなければならないと言っていたということだ。ゴワランによれば、すでにフランス官辺筋のすべての人々（ポワンカレ、クレマンソーを筆頭として）の頭の中にどっかり根をおろしている考えというのは、だいたい《ヨーロッパの平和的統一は、そうした連合から、ドイツ人を除外するということを絶対欠くべからざる条件としないかぎり、期し得られるものでない、けしからぬドイツ民族、それは必ずや将来の戦争の因をなすものであり、しぶといドイツというやつがヨーロッパに存在しているかぎり、絶対平和はあり得ない。したがって、彼らがわるさをしでかさないために、これを監視下におかなければならない》というようなものであるらしい。

奇怪千万。もしゴワランの言ったとおりだとすれば、それはウィルソンの考えを絶対に裏切るものと言わなければならない。ヨーロッパの第三国を、その国が戦争の責任者であるという口実のもとに、またその国が永久に信用できない国であるという口実のもとに、最初から全体的連盟から除外するということは、ヨーロッパの法的組織を、芽ばえのまま刈り取ってしまうことであり、国際連盟のカリカチュアに満足することであり、ヨーロッパを英仏両国覇権《ヘゲモニー》のもとにおこうとしていることを自白することであり、血なまぐさい闘争の種をわざわざ育てようとすることにほかならない。
じゅうぶん思慮もあり、見とおしも持っているウィルソンのことだ。そうした帝国主義的なわなに足を取られるようなこともあるまいと思う！

五日、木曜日

きょうはちゃんと立っていられない。まさに、瀕死の毒ガス患者があるいているといったかたちだ。階段をおりるのに五分もかかった。
ゆっくりと、正確に、死のほうへ押されていっている。おれはゆうべ、おやじの臨終のときのことを思いだした。おやじが歌っていた子供のころのくり返しの文句。
《さあさ、行け行け、お待ちかね！》
ジャン・ポールにのこしておくため、おやじについての覚書を書くことをいそがなければ。

後方の休養営舎にいたころ、ふたたびベッドにありついて落ちつけたとき、そのベッドに身を横たえながら、おれは幾度、戦争がすんでからのことを考え、これからのこと、これからやっていこうと決心しているより楽しい生活、より勤勉な、よりお役に立つ生活のことをむじゃきに想像していたことだったろう。……何から何まで、じつに楽しいもののように想像されたことだった。
死、死。片時も離れないこの考え。それは、おれにとって、まるで闖入者《ちんにゅうしゃ》でもあるように思われる。見知らぬもの、寄生物、腫れ物。

それを甘んじて受けいれる気持ちになれたら、すべては変わってしまうのだが。ただし、そのためには形而上学の助けを借りなければなるまい。ところが、そうしたことにかけては、どうもこのおれは……

無に帰するということ、それにこれほどまでの抵抗が見られるとはじつにふしぎだ。もしおれにして、地獄の存在を信じ、劫罰をうけるにちがいないという確信を持ってでもいたら、はたしてどんな気持ちがするだろう？　いまよりもっとおそろしい気持ちがするだろうか？

九月五日、夜

少佐が、ジョゼフを使いによこして、しおりのはさんである雑誌を届けてくれた。おれは、そこをあけて読んでみた。《戦争にはありとあらゆる口実がある。だが、戦争の原因は一つしかない。いわく、軍隊。軍隊をなくせば戦争もなくなる。だが、どうしたら軍隊をなくせるか？　いわく、独裁の廃止》これは、ヴィクトル・ユゴー（十九世紀フランスの大詩人）の演説から引用されたものなのだ。そして、レーモン少佐は、欄外に感嘆符とともに、《一八六九年における平和会議》の文字を記している。

笑いたければ気のすむまで笑うがいい。たとい独裁廃止、軍備制限がすでにいまを去る五十年まえに説かれたものであったにしても、人類が不条理から抜けだすことに絶望しなければならない理由がどこにある？

この三、四日、これまでよりもずっと痰の量がおおい。肺の細片がふえてきている。(粘膜片と義膜。)

九月六日

けさロワ夫人から手紙がきた。毎年、息子の死んだ日に手紙をよこす。(リュバンを見ると、おれはいつでもマニュエル・ロワのことを思いだす。)

ロワが生きていたら、いったいなんと思うだろう? (リュバンとおなじように) やつれてはいても、いつも強気で、早くなおって戦線にもどりたがっていた彼の姿が目に浮かぶ……

ジャン・ポールよ、おれはこんなことを考える。この後、たとえば一九四〇年、おまえが二十五歳になったとき、おまえは戦争というものをどう思うだろう、と? おまえはそのとき、再建された、平和になったヨーロッパで生活していることだろう。そのときのおまえに、《国家主義》というものがどんなものであったか、また一九一四年八月に、おまえとおなじ年齢、すなわち二十五歳で、この先前途をもっていた若人たちが、そしてあのマニュエル・ロワとおなじように毅然として戦争に出かけていった人々の考えていたようなふしぎな英雄主義というものがどんなものだったか、はたして想像だけでもできるだろうか? 偏見をすてて、理解してやらなければいけないのだ。死にたくないのに、国難のため、甘んじて男らしく生命を危険にさらそうと決心した青年たちの高貴な精神のことを無視したりしてはいけない。彼らのすべては、必ずしも気がちがってはいなかったのだ。多くのものは、マニュエル・ロワとおなじように、自分たちこそ次の世代——おまえもまさにその中のひとりなのだ——のため、より美しい将来を作りあげてやれると信じて、そうした犠牲を承諾したのだ。そうだ、大多数のものは。おれは、その人たちを知っている。おまえのおじのアントワーヌは、その人たちのために証人に立つ。

新聞。わが軍はソンム川を渡り、ギスカールに達した。ソワソンの北方でも進撃して、クーシーを奪還した。はたして敵をして、エスコー川、それにサン・カンタンの運河の向こうにくぎづけにすることができるだろうか？

七日、夜

ジャン・ポールのために

おれは、将来のことを考えている。おまえの将来のことを考えている。マニュエル・ロワのような連中が、《より美しいもの》であれかしとねがっていたようなその将来を。より美しい？　おまえのため、おれはそうあれかしとねがっている。だが、われらの遺産としてのおまえたちの受けとるものは、それは一つの混沌たる世界にほかならないのだ。おれの心配するのは、おまえが人生に足をふみ入れるとき、それがきわめて混乱した時代ではないだろうかということなのだ。矛盾、不安定、新旧勢力の衝突。そうした腐敗した空気を呼吸するには、しっかりした肺臓がなければなるまい。気をつけるがいい！　生きることの喜びは、必ずしもすべての人々にゆるされているとは言えないのだ。

おれはだいたい、予言がましいことはいわないことにしている。だが、あすのヨーロッパを知るためには、ちょっと考えてみさえしたらすぐわかる。経済的には、あらゆる国家は疲弊し、いたるところに、社会生活の不均衡が見られることだろう。そして、精神的には、急激な過去との絶縁、旧来の価値の崩壊、等々……そこから、大きな混乱が生まれるであろうことも想像される。つまり一つの脱皮期なのだ。それは、極端な狂熱、けいれん、興奮、消沈をともなうところの発育期なのだ。ゆくてに均衡の見とおしがあったにしても、それはすぐにというわけにはいかない。苦痛なしにはすまないところの分娩期なのだ。

そうした中にあって、ジャン・ポールよ、おまえはどうなることだろう？　事態をはっきりつかむのは、なかなかむずかしいことにちがいない。誰も彼も、自分こそ真理をつかんでいると思うだろう。誰も彼も、例によって、自分こそ万能薬の持ち主であると自負することだろう。無秩序時代とでもいったらいい？　ゴワランは、そうだという。おれの意見はそれとはちがう。無秩序にしても、それは単なる表面的な無秩序、一時的な無秩序なのだ。というわけは、人間は、無秩序へ向かうものでもなく、また向かうこともあり得ないから。そうしたことは考えられない。歴史がそれを証明している。避けられないかずかずの変動を通じて、人間は、ただ組織へと向かって行くものなのだ。（こんどの戦争にしたところで、それはたとい同胞愛へ向かってではないにせよ、せめて相互の理解への、たしかに決定的な一歩を進めさせるものにちがいない。ウィルソンの平和のおかげで、ヨーロッパの地平線はひろげられることになるだろう。人間共存という思想、集団的といった思想が、国家主義の思想に取ってかわることになるだろう……〕

いずれにしても、おまえは、はかりしれない大きな変化を、一つの鍛えなおしを見るだろう。そして、おれはおまえのために、次のようなことを書いておきたい。来たるべき日にあっては、世論は、また、その世論をみちびくところの指導的思想こそは、絶大な、そして決定的な勢力を持つことになるだろう。未来は、おそらくいままでかつて見なかったほどの創造性をもつことになるだろう。個人というものが、いままでよりも重要性をもつことになるだろう。価値ある人は、過去におけるよりもさらに傾聴され、みずからの意見を推しすすめるための機会を、そして再建に協力するための可能性をもてるようになるだろう。

価値ある人にならなければいけない。自分自身の中に、人にたいして重きをなすような個性をのばさなければいけない。いわゆる通説なるものに耳をかしてはいけない。ところで、人は誰しも、個性といったようなうるさい重荷は、すててしまいたいと思うことだろう！　いっそ大衆的興奮といったような大きな動きに、身をまかせてしまいたいと思うだろう！　かんたんに信じることができたらと思うだろう。というわけは、けっきょくそうするほうが便利であり、そうするほうが楽だからだ！　おまえははたして、そうした誘惑に抵抗することができるだろうか？……それはもちろん、たやすいことではないにちがいない。思考が複雑になればなるほど、人は、とかくなんとかして混乱を避けたいと思い、自分を安心させてくれるような、自分を導いてくれるような既成的観念を受け入れやすい。

そして、心におこるいろいろな疑問、自分ひとりでは解決できないいろいろな疑問に納得性のある答えをあたえてくれるようなもの、そのどれもこれをも助けの神のように思うにちがいない。とりわけ、それを支持するものが多いといったような場合、それがいかにも信用できそうに見えるといったような場合。ところが、それこそ最大の危険なのだ！　抵抗せよ！　あらゆる合い言葉を拒絶せよ！　うっかり仲間になったりしてはいけないのだ！　一党一派に偏したやからが、その《お仲間たち》に保証するところの懶惰《らんだ》な精神的安住などはしりぞけ、むしろ不安定による悩みをこそ選ばなければならないのだ！　自分ひとりで、暗黒の中を模索するのだ。それは、楽しいことではないだろう。だが、それによってもたらされる害は少ない。害の最たるものは、まわりの人々の空念仏にただおとなしく追従してゆくということにある。心せよ！　この点、父の思い出を手本にするのだ！　孤独だった彼の生活、絶えず悩み、ぜったいに定着することのなかった彼の思想、それこそまさにみずからにたいする誠実さ、潔癖さ、心の勇気、見識等の点からいって、おまえがまさに手本とすべきものなのだ。

あけがた。眠れない、眠れない。

（ジャン・ポールに話しかける場合、ともすれば《説教じみた》ちょうしになる。《心せよ》などと言わないこと……）

《価値ある人》となること……それについて、ただ一つのことを忘れていた。その方法を教えてやらなければ。

方法？　価値ある人といったところで、おれの接し得たのは医者の範囲にとどまっている。だがおれは、社会生活におけるいろいろな事件、いろいろな事実、いろいろな思いがけないことに出あったときの価値ある人々の態度は、病気を前にしての医者の態度とさしてちがわないだろうと信じている。何よりもたいせつなのは、新鮮な目で見るということだ。医学にあっては、自分の知識とか、書物の教えるものとかが、一つ一つの特殊な病症の提出する新しい問題を解決してくれるような場合はきわめて少ない。あらゆる病は——そして、あらゆる社会的発作も同様なのだ——すべておなじような前例を持たない最初の病症としてあらわれてくる。つまり、一つの特殊な病症として。これにたいしては、つねに新しい療法を考えださなければならないのだ。価値ある人となるためには、豊かな想像力を必要とするのだ……

一九一八年九月八日、日曜

けさ、起きぬけに、およそ十センチくらいの細片を吐いた。検査してもらおうと思って、バルドーのところへ持って行かせた。

ゆうべ書いたことを読みなおしてみた。こうして、思いだしたように、将来のこととか、あとにのこる人たちのことに興味が持てるというのはじつにふしぎに思われる。はたして、ジャン・ポールのせいだけだと言えるだろうか？

考えてみると、こうした興味は、きわめて自然にわくものであり、それはけっして、おれが言うほど間違におこってくるものでもない。それにびっくりするのは、じつは心の努力と反省の結果にほかならないのだ。じつのところ、将来のことを考えるのは、おれにあって、常住不断の、そしてきわめて自然な心のはたらきにほかならない、のだ……それにしてもなんとも不可解！……

朝食まえ

フィリップ博士を驚かせたある新聞記事のことを思いだした。（それは、ふたりのあいだで、職業以外のことについてかわされた最初の会話の一つだった。博士のもとで働くようになってからまもないころのことだった。）それは、ひとりの死刑囚の話で、断頭台の前まで来ると、死刑執行の助手たちにおさえられながら、からだをもがいて、《どうか手紙を忘れないでくださいよ》と、検事に向かってわめき立てたということだ。（その男は、刑務所にいながら、自分の恋人がほかに男をこしらえたことを教えられた。そして、処刑当日の朝、検事あてに手紙を書いて、これまで刑をのがれていた大きな犯罪のことを打ちあけたのだった。それは、自分の女が、きわめて大きな片棒をになっていたということだった。）

博士にもおれにも、どうもその気持ちがわからなかった。いざ最後という瞬間に、これほど執拗にこの世の事にこだわるとは！　フィリップ博士は、これをもって、大部分の人間にとって、真に非有を《体得する》ということがほとんど不可能である証左であると考えておられた。

ところで、いまのおれは、この話に、あの時ほどには驚かない。

九月九日

口の中がとてもくさい。いったいどうして、こんなよけいな苦しみまで背負わなければならないのだろう？　このクレオソートのつかわれている水薬には、はじめからなんの期待もしていなかった。これは、歯医者のことを思いださせ、すっかり食欲をうばってしまう。

午後、戸外で

けさ、九月九日という日付を書きながら、おれはとつぜん思いだした。きょうはまさに、あのルーヴィルの二度めの記念日なのだ。

夜

日がな一日、ルーヴィルのことを思いだしながらすごしてしまった。

部隊が到着したのは夕方。会堂の地下室《クリプト》（会堂地下の部屋で、埋葬所、礼拝所として用いられる）に仮包帯所を開設した。村はまったくの残骸。前日、砲弾を二百も落とされていたのだ。真のやみ。その中に照明信管が打ちあげられる。旅団長の任務をしていた大佐の司令部は、三方の壁だけがのこっている家の中におかれていた。林の中に砲列をしいた七十五ミリ砲のひびき。沼のまわりには、いまは見るかげもない家々の破風《はふ》。腹のやぶれている赤い羽根ぶとん。おれは翌日の朝、そのそばで負傷することになったのだった。車両によって深く掘られた、かわききった泥や石のかけらでいっぱいの道。そして、村のうしろには山の頂。地下室《クリプト》のこわれたステンド・グラスの窓からながめられる山の頂。その山からは、傷兵たちがたばになって、白くほこりにまみれながら、びっこ引きひきやって来ていた。その誰も彼もが、放心したようなおだやかな顔つき。おれはいまでも思いだす、あの火事のような空の上に、くっきり並んでそびえていた山の頂。その上には、まるで竜巻に吹き倒されたように、どれもこれもおなじ方向へかしぎながらつっ立っている有刺鉄条網の棒杭の列。そして、左手には、古い風車がその羽翼の上にがっくりくずれて、まるでこわれた玩具《がんぐ》とでもいうようだった。(これらすべてを書いておこうというふしぎな気持ち。どうしてなのだろう? 忘れないためにだろうか? そうだとすると、それはいったい誰のためにか? ジャン・ポールに知らせるためにか? たとえば、ある朝、ルーヴィルで、おじのアントワーヌが……とでもいったように?)夜のとばりが落ちそめるやいなや、地下室《クリプト》はもういっぱいの負傷者だった。うめき声やわめき声。地下室の奥のわらの上には、動かせない負傷者といっしょに、死んだものが寝かされていた。祭壇の上には、防風ランプ。ろうそくはびんにさされていて、円天井には、いろいろな影が奇妙な円舞《ロンド》をおどっていた。おれはいま、テーブルや、樽を二つならべた上にわたされている板きれや、さまざまな白布類のことを思いだす。まるで、それらをはっきり記憶するため、じゅうぶん観察するゆとりがありでもしたかのように、それらすべてを思いだす。ああ、あのころのおれの元気さは! 職業にかけての、なかば酔ったような、心がおどるような気持ち。それに仕事にあたってての張りあい! 敏活にやらなければ! 自分自身に最大限の力をたくわえ、ありとあらゆる感覚を、目ざましいまでにかき立てながら。手足にそって、指の先まで意思をしっかり張りつめながら。それでいて、何かなさけない気持ちと、同時に、ロボットといったような無神経さで。目的にささえられ、しなければならない仕事にささえられながら。何一つ耳にせず、何一つ見ず、すべてをあげてただ自分の仕事だけに打ちこんでいた。べつにいそぎもせず、といって一瞬の時もゆるがせにせず、傷口の腐敗をふせぎ、適時に動脈を緊縛し、骨折を仮固定させるための必要な処置を、一つ一つ順序をおってきわめて敏活にはこんでいっていた。さあ、次は誰だ！

　これにくらべてさらに漠然としてではあるが、おれには、せまい往来の向こう側に、担架にのせた負傷兵たちのおかれていた、車置場のひさしのかげになったところが思いだされる。だが、はっきり思い浮かぶのは、弾が来るので、壁に身をよせてでなければ通れなかったせまい往来のことだ。そして、とりわけはっきり思いだされるのは、耳を打つ小さな泣き声といったような音。土壁にあたるかわききった弾丸の音！　包帯で腕をつった、ひげ面の小柄な少佐の怒気をふくんだ眼差し。そして、彼が、蜜蜂の群れを追いでもするように、きくほうの腕をこめかみのあたりにふりまわしながら、《えらい蝿だな、ここは！　とてもえらい蝿だ！》とわめき立てていたそのようす。（おれはとつぜん、ロンプレ・レ・コール・サンの野戦病院でいっしょだった、ひげ面の、ごま塩あたまの老志願兵のこと、そのすごい顔つき、負傷兵を担架からおろしながら《さあさあ、おりたり！　おりたり！》とわめきたてていたそのフォーブールなまり（パリ周辺の労働者たちに見られる特殊ななまり）のことを思いだした。

　ひと晩じゅう働きつづけたおれたちは、迂回運動の行なわれていることに気がつかなかった。そして、夜の引き明けに連絡兵がやって来て、はじめて村が側面から攻撃されていること、いまは引きあげ用の塹壕も危険に瀕していて、ただ一つ通行可能の塹壕までたどりつくためには、機関銃火をおかして広場をつっ切るよりほかにないことを知らされた。おれはそのとき、自分の命のあぶないことなど、一瞬たりとも考えなかった。ただ、倒れながら、赤い羽根ぶとんが目にはいり、そしてはっきりこう思った。《肺をやられたぞ……心臓だけはだいじょうぶだ……命にだけは別状あるまい》

(すべてはここに発している。もしあの朝、足か腕かをやられたのだったら、こんなことにはならなかったはずだ。もし両肺がそのままだったら、わずか吸いこんだイペリットぐらいで、二年後の今日、これほどまいりはしなかったろう。)

九月十日

きのうからかけて、心に浮かぶのは、戦争の思い出ばかりだ。

ジャン・ポールのため、腸チフス患者のことを書きとめておきたい。そのおかげで、おれは病院付きの大多数の同僚たちより、ずっと長いこと戦線にとどまらなければならなかったのだ。一九一五年の冬のこと。おれはずっとコンピエーニュ連隊に所属していた。そして、連隊は、北部戦線に出動していた。ところが、大隊付きの軍医のあいだでは、交代制が取られることになっていた。そうしたわけで、およそ二週間ごとに各自六キロ後方にもどって、何日かのあいだ、小さな収容所、二十台ばかりのベッドをすえた病舎を受け持つことになっていた。おれは、ある晩そこにやって来た。せりもち天井の地下室に、十八名の患者がいた。その誰も彼もが発熱していた。しかも、その中の数名は四十度もの発熱だった！……おれは、ランプの灯《ひ》かげをたよりに診察した。うたがう余地はぜんぜんない。十八名ともチフス患者だ。ところが、戦線にはチフス患者をおくことが禁じられていた。実際上では、ぜったいチフスの診断をくだしてはならないことになっていた。おれは、その晩すぐに軍医のところへ電話をかけた。おれは、十八名の《やっこさん》が、パラチフスに酷似した（おれは、注意してチフスという言葉を用いなかった）重い胃腸疾患にやられているらしい、時をうつさず後送しないかぎり、連中はこの地下室でごねってしまうだろう、良心的に言って、自分としては病舎の世話をことわらなければならない、とはっきり言ってやった。翌日、朝早く、自動車がおれをつれに来た。おれは、師団本部に呼びだされた。おれは当局者と対決した。けっきょく、すぐ後送させてもいいという許可をもらった。だがその日以来、おれの《勤務状態の記録》には、ある意味をふくませた《注意》事項というやつが書きこまれた。そのおかげで、おれは負傷するまで、ぜったい昇級をあきらめなければならなかった！

夜

おれは、ここでのほかの連中との関係について考えてみる。そこには、前線におけるとおなじような親しみが見られるはずでいながら、それがまったく見あたらない。ぜんぜん比較にならないのだ。そこに見られるものは単に友人関係、ただそれだけ。前線では、取るにたりない炊事当番兵でさえ、まるで兄弟のように思われるのに。

おれはいま、かつて知っていた連中のことを思いだす。そのひとりひとりを思いだしながら、おれの心は痛む。そのほとんど誰もかれもが、すたれものになり、手足を失い、あるいはゆくえ不明になっている……カルリエ、ブロー、ランベール、人のいいダラン、ユアール、レーネ、それにミュラトン、彼らはどこにいるのだろう？　それにあのソーネー？　それに小男のノップス？　そのほか大ぜいは？　彼らのうち、いったい幾人が無傷で戦争を終わることができるのか？

おれはきょう、いつもとちがった見方で戦争というものを考えている。メーゾン・ラフィットで、かつてダニエルがこう言った。《戦争、それは人間同士のあいだに特別な友情が持てる機会なんですよ……》（なんという恐ろしい機会！　そして、なんというはかない友情！）それにしても、彼のいうことにも一理はあった。つまり、一種の憐愍《れんびん》、寛容、いとしみあうといった気持ち。人々はともにそうした不運になげこまれて、本質的な、そしてそこになんの差別もない反応だけをしめすことになるのだ。階級の高下に問題なく、そこにあるものはおなじ服従、おなじ苦痛、おなじ倦怠、おなじ恐怖、おなじ希望、おなじ泥濘、しばしばおなじような食事、おなじ新聞。ほかのところにくらべると、策謀、ぺてん、いじわるさの見られる場合も少ない。それほどまでに、たがいにたよりにしあっているのだ。愛しもするし、助けもする。自分のほうでも、愛され、助けられたいからにほかならないのだ。前線では個人的な反感はほとんど見られない。嫉妬心といったようなものもほとんどない。憎悪も見られない。（前面のボッシュ（ドイツ兵にたいする侮蔑的呼称）にたいしてさえ、憎悪の気持ちはおこらない。彼らにしても、おなじ愚行の犠牲者なのだから。）

さらにあげなければならないのは次のような事実だ。すなわち、事の当然の結果として、戦争は一つの《思索》の時期であるということだ。その人に教養のあるなしは問わない。それは、単純な、そして深い思索なのだ。だいたいにおいて、すべての人々にとっておなじようなもの。連日死を前にしていることから、きわめて思索と縁遠い人々までも考えさせることになるのだろうか？（その一例がこの日記だ……）大隊の仲間たちの中で、《思索》しているところを見かけなかったようなものはひとりもなかった。ひとりぼっちで、ふかく考えこんでの思索。せずにいられないでしていながら、人目をはばかりながらの思索。ただ一つ、わが身のものとしてのそうした思索。むりやり自己を捨てさせられ、いまはただ、思索だけが、個性にとっての最後の隠れ家というわけなのだ。

さて、死なずにすんだものたちにとって、そうした思索の結果から、はたして何が残るだろう？たいしたものではないにちがいない。なによりもまず生活へのはげしい意欲。それにおそらく、無益な犠牲や、大げさな言葉や、英雄主義にたいする憎悪とでもいったようなものででもあろうか？　ことによると反対に、前線での《美徳》へよせるなつかしさかもしれないが。

十一日

このあいだの朝吐いた細片が、組織学的に検査された。義膜はなかった。ただ粘膜の一型だけ。

じつのところ、おれは自分の死について考えると同時に、自分の一生についてしげしげと考える。おれは、絶えず自分の過去をふりかえる。おれは、ごみ箱をあさるバタ屋のように、自分の一生の中をほじくりかえす。自分の手にするかぎの先で、何かかけらを引きよせては、しみじみそれにながめ入り、それを何とか吟味しながら、あきることなく思いにふける。

人生とは、いかにも取るにたりないもの……（こうした考え方、それは、おれの余命が短くなったからのことではないのだ。誰の一生にしても同様なのだ！）それは、無類とびきりのくだらないもの。広大無辺なやみのなかに、ちらりと光る一点の火といったようなもの……だが、こうした言いふるされた言葉を口にしながら、その言葉の意味のわかっているやつが何人いる！　その悲痛さをはっきり感じているものが何人いる！

《人生の意味いかん？》こうした無益な質問を、全面的に払いのけることはとうていできるものではない。このおれ自身にしても、わが身の過去を反芻《はんすう》しながら、いくたびとなく、こうわれとわが胸にたずねているのに気がつく。《それは何を意味しているのだろう？》と。

ところで、それは、何を意味してもいないのだ。何一つ意味してなんぞいないのだ。こうした事実をみとめること、それははじめはちょっとむずかしい。それというのも、骨の髄までしみこんだ、十八世紀間にわたるキリスト教というやつがあるからなのだ。だが、考えれば考えるだけ、そして、身のまわり、心の中をはっきりみつめればみつめるだけ、《それが何も意味していない》ことの明白な事実に直面せずにはいられない。何百万何千万という人間がこの地殻の上に生みだされ、それがほんの一瞬蠢動《しゅんどう》したと見るまに、やがて解体し、姿を消し、ほかの何百万何千万に取ってかわられる。しかも、そうやって取ってかわったものも、あすになれば解体する。そうしたつかの間の出現、それにはなんの《意味》もないのだ。人生には意味がない。そして、そうした仮の世にはかなく生きているあいだ、せめては不幸を少なくしようとつとめる以外、そこにはなんの意味もないのだ……

こうしたことがわかったところで、それは、人をして思ったほど力を落とさせるものでもなければ、人をして茫然自失させるものでもない。ぜがひでも人生に何か意味を持たせようとねがうやからが、自分の心をゆするために役立てているあらゆる夢をすっかり捨て、そうしたものからすっかり解放されたら、おどろくほど朗かな気持ちと、力づよい、自由な気持ちにしてもらえるのだ。さらにそれを活用することさえ知っていたら、ずいぶん心のはげましにさえもなってくるのだ。

おれはとつぜん、B病舎の階下にあった娯楽室のことを思いだした。おれは毎朝、病院での勤務の帰りにそこを通ったものだった。おれはいまでも思いだす。部屋の中は、積木遊びをやっている幼い子供たちでいっぱいだった。そこには、なおる見こみのない子供たち、手足の自由でない子供たち、病気の、または快癒期にある子供たちがいた。知能のおくれた子供たち、半低能児がいるかと思えば、きわめて利口な子供たちもいた。つまり一つの小世界とでもいったようなもの……望遠鏡の太いほうのはしからのぞいてみた人間の世界といったようなもの……大部分の子供たちは、気の向くままに、自分の前におかれた四角な積木をうごかし、そのおき場所を変え、そのいろいろな面をひっくりかえして遊んでいた。さらに知恵の進んでいる子供たちは、積木の色を組みあわせ、それを並べては何か幾何学的な図形を作っていた。さらに大胆な子供たちは、ぐらぐらゆらぐ小さな建物をつくっていた。ときたま、熱心な、負けずぎらいな、発明好きな、野心的な子供がいて、何か一つむずかしいことを考えつき、幾たびとなくむなしい努力をつづけたあとで、橋とかオベリスクとか、高くそびえたピラミッドとかを作りあげる……ところが、遊び時間の終わりには、すべては根こそぎひっくりかえされる。そして、リノリウムの上には、散らばった積木の山が、ただあしたの遊び時間のためにのこされる。

これこそは、人生の姿をいかにもみごとにうつしたものといえるだろう。われらはおのおの（たといどんなにりっぱな口実をつけても）けっきょく遊ぶ以外に目的がなく、ひとりひとりの気まぐれのままに、ひとりひとりの能力のままに、人生のあたえてくれるさまざまな要素、つまりは生まれながらに自分の周囲に見いだされた色さまざまなたくさんな積木を、よせあつめているにすぎないのだ。そうした中で、大きな才能にめぐまれたものは、自分の一生を、複雑な建築、真の一個の芸術品にしようとこころみるのだ。人生の遊びを、きわめて楽しみ多いものにしようと思えば、そうした仲間にはいらなければ……

人おのおの、方法がちがう。人おのおの、偶然によってあたえられた要素もちがう。となると、つくりあげられるオベリスクなり、ピラミッドなり、そのできに多少のちがいがあったにしても、それがたいして問題だろうか？

おなじ夜

ジャン・ポールよ。おれには、ゆうべ、これら書かずもがなのことを書いたことが悔やまれる。おまえがこれを読んだとしたら、おそらく腹を立てずにはいないだろう。《老人のくり言》《くたばりぞこないの世迷言《よまいごと》》と言うかもしれない。たしかにおまえの言うとおりだ。おれにはもう、何がほんとうであるかがわからなくなっている。ところが《なんのために生き、なんのためにはたらき、なんのために最善をつくすか？》おまえのいだくであろうこうした問題には、もう少し積極的な答えができるのだ。

なんのために？　それは、過去と将来とのためなのだ。父や子供たちのためなのだ。自分自身がその一環をなしているくさりのためなのだ……連続を確保するため……みずからの受けたものを、後に来る者へわたすため——それをもっと良いものにし、さらに豊かなものにしてわたすためなのだ。ところで、われらの生存理由《レーゾン・デートル》なるもの、それははたしてこれだけにとどまっているのだろうか？

九月十二日、朝

おれは、平凡な人間にすぎなかった。生活の要求と調和のとれている平凡な才能。平凡な知識、記憶力、順応の才。平凡な性格。そして、あとのすべては、見せかけだけにすぎなかった。

午後

健康、幸福。それらはすべては目かくしにすぎない。病気によって、はじめてはっきりと目がひらける。（自分というものをはっきり理解し、人間を理解するための最上の条件は、つまり、一度病気をしてから健康になるということなのだ。おれは、こう書きたい。《健康つづきだった人間は、必然的にばか者だ》と。）

おれは、平凡な人間にすぎなかった。真の教養も持っていない。おれの教養は、おれの仕事の範囲にとどまっている職業的なものだった。偉大な人々、真に偉大な人々は、専門によって制限されない。偉大な医者、偉大な哲学者、偉大な数学者、偉大な政治家、彼らは単に、医者たること、哲学者たること、そのほか等々にとどまらない。彼らの頭脳は、他の領域にわたって自由に動き、特殊な知識をはなれて飛びかける。

夜

おれ自身について

おれは単に運のよかった男というにすぎない。おれは、もっとも成功しやすい道をえらんだ。（これこそまさに、おれに一種の実際的な知識の存在していたことを証明する……）だが、けっきょく平凡な知識なのだ。それは、有利な状況をかろうじてうまく利用し得るといった程度のものなのだ。

おれは、自尊心に目をくらまされて生きてきた。

おれは、あらゆることが、自分の頭脳と精力とによって得られたものと思っていた。おれは自分で、自分の運命をつくりだし、自分の成功をきずいたもののように思っていた。おれは、自分より才能のおとった連中をそう思いこませることができたことから、自分を第一流の人物のように思っていた。見せかけだ。おれは、フィリップ博士をさえだましていた。

夢であり、まぼろしであり、とうてい長つづきするはずのないものだった。人生は、おれにむざんな失望をととのえていたにちがいなかった。

おれは、ほかの多くの連中同様、じつは、善良な医者以上にはなれなかったはずの人間なのだ。

九月十三日

けさ、痰にほんのりした赤味。十一時。吸角をつけに来てくれるジョゼフを待つため、ベッドの中にはいっていた。

おれの部屋。このむさくるしい小天地。ここにある何から何まで、いやというほど、へどの出るほど見なれてしまっている。くぎ一本、古くぎのあと一つ、桃色がかった壁の上の傷あと一つ、そこにおれの目が何千回となくそそがれなかったものがあるだろうか！　それに、鏡の上にはられている、相もかわらぬアメリカ娘！　(とは言え、それをはがさせたら、おそらく物たりない気持ちになるだろうが。)

ベッドに身を横たえての、いつ果てるともしれぬ無限の時。かぎり知られない昼と夜。あれほど活動的だったこのおれが！

活動。おれはただ活動的というだけではなかった。おれは、活動というものにたいして、狂信的な、それに子供らしいほどの尊敬をささげていた。

だが、かつての日の活動のことをあまり恨んだりしてはいけない。おれの知識にしたところで、それは活動のおかげなのだ。現実との格闘。このおれは、活動によってつくられたのだ。こんどの戦争地獄をがっちり受けとめることができたというのも、一にかかって、それがたえず、おれを活動に追い立てていたからのことなのだ。

午後

じつのところ、おれは外科医になるべきだった。おれは、外科的天分をもって、医療をやっていたというべきだ。真の名医になろうと思えば、同時に、考える人にならなければ。

夜

かつての日の、あのはなばなしかった活動のことをふたたび思う。もちろんきびしい批判をもって。おれはいま、そこに――芝居がかりの気持ちをみとめる。（他人にたいしての場合以上に――とは言えないまでも、せめておなじ程度に――このおれ自身にたいしての。）

おれの弱点。それは、いつでも、人から立てら**れたい**という気持ちだ。（ジャン・ポールよ、つらいことだが打ちあけるのだ！）
おれは幾たびとなく、自分がすっかり張り切るためには、ほかの人たちの前にいることを必要とする事実をみとめた。人から見られ、評価され、賛嘆されていると思うこと、それは、おれのあらゆる能力を刺激し、おれの勇気を、決断を、力の自覚をそそり立て、おれの意思をはげしくおどりあがらせてくれたものだった。（たとえば、ペロンヌの砲撃の場合、モンミライユ野戦病院の場合、プリュレの森の奇襲の場合、等々……さらにほかの例をあげれば、民間にあってのおれは、自分の家の診察室で、ひとりで患者を前にしているときにくらべ、病院で、同僚たちの見ている前で診察する場合、明らかにずっと鋭く診断がくだすことができ、ずっと大胆に治療ができた。）

今日のおれには、真の精力がけっしてそんなものでないことがはっきりわかっている。真の精力は、大向こう相手のものでないはずなのだ。ところが、おれの精力の場合、それが最善に発揮されるためには、どうしてもそばに人がいてくれることを必要とした。おれがもしロビンソン（イギリスの作家デフォーの『ロビンソン漂流記』の主人公）の島にいたとしたら、おそらくおれは自殺したにちがいない。だが、フライデー（ロビンソンの従僕）があらわれると、おれはさまざまな武勇伝をやってみせただろう……

夜

ジャン・ポールよ、意思をきたえよ。おまえにして意思することができたら、やってできないことは一つもないのだ。

十四日

再発。ほかの痛みに加えて、胸部後方に疼痛。それに得体の知れないけいれん。何をたべても吐いてしまう。起きあがることもできない。

ゴワランが、新聞を持ってきてくれた。スイスでは、オーストリア＝ハンガリーの和平提唱のうわさ（?）、それにドイツでの隠然たる革命運動のうわさ（?）がなされている……ウィルソンのメッセージのおかげで、すでにそれらの国々では民主主義的思想が行なわれはじめているのだろうか？サン・ミュへのアメリカ軍進出のうわさも、だいぶたしかなものになってきている。サン・ミュルは、ブリエ、メッスへの道にあたる！　われらはまさに、絶対突破不可能とされていたヒンデンブルク線に出たわけなのだ。

九月十六日

やや軽快。吐きけもない。二日にわたる節食のため、とてもからだが疲れている。

オーストリアの平和希望についてのクレマンソーの回答。それはこのうえなく無愛想なもの。まるで騎兵士官のようなちょうし。いや、さらにひどい。まるで汎ゲルマン主義者とでもいったちょうし。つまり、最近の軍事的成功の結果を、待っていましたとばかりに取り入れたというわけなのだ。交戦国の一方は、何か歩がありそうだと見るが早いか、たちまち本音をさらけだす。それはいつでも帝国主義的なものときまっている。連合国の勝利がもっぱらアメリカの力によるものでないとなったら、ウィルソンは、連合国側の政治家たちを向こうにまわしてずいぶん手こずらされることだろう。連合国としては、自分の望むところを正直に言ってみるための好機会であったろうに。ところが彼らは、講和条約締結にあたって、戦敗国からできるだけのものを巻きあげられないことをおそれて、いやに強がって見せ、最大限のものを要求しているように見せかけたのだ。ゴワランに言わせると、つまり《いくらかの成功に気をよくして、連合国は早くも酔っぱらってしまっている》のだ。

十七日

かってなことを言うがいい。だが、気管支肺炎のくり返しは、つねにシューブをしめす肺浸潤の一型と見なされていた。

十八日

バルドーの長い検査、つづいてセーグルの診察、チアノーゼと血圧降下を伴う右心の著明な衰弱。このことは、すでに数週間まえから予期していた。昔から言われている。《肺が弱ったら心臓をかばえ》

看護兵の特徴。何か急な用のあるとき、ぜったい声の届くところにいたためしがない。それでいて、いられて大いに困るようなときには、いつまでたっても行こうとしない……

十九日から二十日にかけての夜

生。死。ひっきりなしに生まれてくるところのもの。等々……

きょうの午後、ヴォワズネといっしょに、シャンパーニュ戦線の地図をしらべてみた。おれはとつぜん（シャロンの東北のどこだったか）あの白ちゃけた石灰質の原のことを思いだした。ちょうど一九一七年六月、おれの配属部隊が変わったとき、おれたちはそこに停止していっしょに食事をしていた。地面は、戦争当初の砲撃によって、深くふかく掘りかえされ、そこには何ひとつ、はまむぎの芽ひとつはえていなかった。それでいて、時は春、前線からは遠く、まわりはすっかり耕されていた。そして、おれたちの停止したところに近く、そうした石灰質の砂漠の中に、緑の色も青々とした一つの小さな島があった。おれはそのほうへ歩いて行った。それは、ドイツ兵の墓地だった。高い草にうずもれながら、地面すれすれにたくさんな墓、そして、若い兵士たちのむくろをうずめた上には、からすむぎ、野の花、蝶がいっぱいだった。

平凡と言えばきわめて平凡。だが、その思い出は、きょう、あのころとはちがった感動をあたえる。盲目的な自然のはたらきについて、ひと晩じゅう考えつづけた……そうした気持ちを、どう表現していいかわからないながらに。

九月二十日

サン・ミェル戦線での成功。ヒンデンブルク線を前にしての成功。イタリアでの成功。マケドニアでの成功。いたるところで成功。だが……

だが、どれだけの犠牲が払われたことか？

しかも、それだけではない。わが軍強しとなってからの連合側新聞にあらわれた論調の変化を見ると、どうして危懼《きく》しないでいられよう？ バルフォア（当時のイギリス首相）、クレマンソー（フランス首相）、ランシング（アメリカ国務長官）がなんと強硬にオーストリアの申し出を蹴ったことか！ そして、おそらくベルギーにも、ドイツの申し出を蹴らせたにちがいない！

ゴワランの来訪。そうだ、戦争の終結は、それほど近いようには思われない。ドイツ共和国を打ち立てるため、また巨大なロシアの粘土像を、がっしりした礎石の上にすえるためには、このさき幾月、いな、幾年かをさえ必要とするにちがいない。しかも、こちらが勝てば勝つだけ、和解による平和――永続の見こみのある平和をうけ入れにくくなるにちがいない。

ゴワランと、進歩ということについて、じりじりするような空疎な論争。彼は言う。《だって、きみは進歩というものを信じないのかね？》

もちろんそれを信じてはいる。だが、それはとんだ先物買いなのだ！ このさき何千年もした後でなければ、ぜったいい人間には希望が持てない……

二十一日

階下におりて昼食。

リュバン、ファベル、レーモン。彼らの説くところは、おのおのとてもちがっているが、彼らがみんな、こりかたまりであることには変わりがない。（ヴォワズネは、少佐についてこう言っている。《あんな男が、頭脳を持って生まれてきたなんて考えられないな。やつには、ただ脊髄だけしかないと言われても、おれはべつにおどろかないな》）

ジャン・ポールのために

真理。それについては、ほんの当座だけのものしか考えられない。

（おれはいまでもおぼえている。かつて殺菌剤ですべてを解決し得たと信じていた時代があった。《細菌を殺す》ところが、それと同時に、しばしば人間の肉体までも殺されることに気がついた。）

模索するのだ。疑ってみるのだ。どんなことにも断定をくだしてはならない。どんな道であっても、奥の奥まで飛びこめば、それはたちまち行きどまりになる。（医学のほうにその例が多い。おなじような才能を持ち、おなじような聡明さを持ち、ともに真理にたいするおなじような熱意に燃えたちながら、そしておなじような現象の研究をこころみ、ぜんぜんおなじような臨床観察をやっていながら、しかもきわめてちがった、往々まったく反対な結論に達した人たちをおれは知っている。）

若いうちに、確信趣味からぬけださなければだ。

二十二日

両わきのあたりがとてもつらい。どこかにからだを落ちつけたが最後、からだを動かそうという勇気もでない。バルドーは、アテネジン軟膏を絶賛していた。だが、それはぜんぜん効果ない。

九月二十三日

どこに刺胳《しらく》術をしたらいいのか、もうわからなくなっている彼らなのだ。おれの上半身は穴だらけだ。

二十五日

きのう以来、ふたたび体温の大きな動揺。

それでも、下へおりて行ってみようとした。だが、踊り場まで出ると目まいがして、そのまま帰ってベッドにつかずにはいられなかった。

ここの部屋。桃色がかったこの壁……何も見たくないので目をつぶる。

おれは、戦前のこと、そのころのおれの生活のこと、おれの若き日のことを考える。おれにあっての真の力の源は、それはひそかな、いつも変わらぬ、将来にいいいいよせる自信だった。いな、自信というより以上のもの、それはまさに確信だった。ところがいま、かつては光り輝いたところに、この暗黒。

これが四六時中の苦しみなのだ！

吐き気。三回にわたって患者が到着するので、バルドーは下の部屋を留守にできない。きょうの午後、二度ともマゼがあがってきた。そのふきげんなようす、老いぼれ植民地兵といったような面つきには、もはやなんともがまんができない。例のごとく、なんともたまらない汗の臭い。まさに吐き気がつきそうだった。

九月二十六日、木曜

つらい一夜。聴診の結果、また別な小捻髪音《ねんぱつおん》の個所ができたということだ。

夜

注射をしたのでいささか楽になる。これもいつまでつづくことやら？

ほんのちょっとゴワランがやって来た。とても疲れた。米軍の進出。ドイツ軍は、いたるところで退却している。バルカン戦線でも連合軍の成功。ブルガリアの休戦申し入れ。ゴワランいわく、《ブルガリアとの和平ができたら、それこそまさに戦争終結を告げるものなんだ。妊娠の場合、羊水のでるときとおんなじなのさ……》

ドイツでは、いよいよあらしがはじまった。社会党の連中は、入閣にあたって、きっぱりした条件をだした。国をあげての不満。それが外相のやった演説の中にも、におっている。

話がよすぎる。何から何までとんとんびょうしだ。まるでこわくなるほどだ。トルコもたたきつけられた。ブルガリア、オーストリアは降伏寸前。いたるところで勝報だ。平和は、まさに深淵さながら、ぱっくり口をあけている。目がまわる。はたしてヨーロッパは、真の平和のため、じゅうぶん熟しているのだろうか？

グラッスのグラン・トテル（グランド・ホテル）では、クリスマスまでに戦争が終わるだろうと言って、一ルイ（二十フラン）にたいして一千ダラーを賭けたアメリカさんがいたという。

クリスマスの祝えるものはさいわいなるかな。

二十七日

衰弱が加わってきた。呼吸困難。月曜以来、ぜんぜん声が出ない。バルドーにつれられてセーグル博士が見にきてくれた。長い診察。いつもにくらべてなれなれしいちょうし。心配だというのだろうか？

夜

痰の分析。肺炎菌。とりわけ、治療血清にもかかわらず、ますますふえる連菌の増加。明らかな中毒・伝染病。

明朝レントゲン検査。

二十八日

きわめて明瞭な腐敗徴候。バルドーとマゼと、一日に何度となくあがってくる。レントゲン検査の結果、バルドーは、試験刺賂《しらく》をやることにした。

何をおそれているのだろう？　実質内の膿瘍か？

十　月

十月六日

一週間。

筆をとるためにはまだからだが弱りすぎている。夢うつつの気持ち。ふたたび、ノートを手にできてちょっとうれしい。それにこの部屋も。それにアメリカ娘も。

こんども運よく助かったのか？

十月七日

一週間、このノートも手にしないでいた。力がもどってきた。体温ははっきりさがっている。朝は平温、夕方は三十七度九分から三十八度。

みんなはもうだめだと思っていた。ところがそうでなくなったのだ。

三十日の月曜日にグラッスの療養所へ運ばれた。そして、その日の午後、ミカルの執刀で手術をうけた。セーグルとバルドーが立ち会って。右肺に大きな膿瘍。さいわいとても限局されていた。ル・ムースキエには、五日めに帰って来ることができた。

思えば二十九日、刺賂《しらく》をうけたあとで、おれはどうして自殺しなかったのだろう？　おれは、考えさえもみなかったのだ。（これはぜったいほんとうなのだ！）

十月八日、火曜
だいぶ力がもどってきた。助かったことを残念に思わなければならないはずのおれでいながら、じつはしからず、この新しい幕間を、ふがいなくもうれしく思って受け入れている……
しばらく新聞を読まずにいたので、なかなか理解がむずかしい。ドイツ内閣辞職のことも知らずにいた。ドイツでは、たしかに重大事態がおこったらしい。スイス新聞は、マックス・フォン・バーデンが、平和商議のため首相に任命されたと伝えている。

十月九日
自慢できる話じゃない。おれには、自殺しようという気持ちがちらりとさえも浮かばなかった。この部屋に帰ってくるまで、おれはそのことを忘れていた。膿瘍の診断と手術とのあいだ、おれの頭には、ただ一つ、できるだけ早くやってほしいということだけしかなかった。しかも、それがうまく成功するようにねがいながら。

さらにはずかしいのは、グラッスにいたあいだ、おれは、ここに竜涎香《アンブル》の首飾りをおいてきたことを残念に思いつづけていた。おれは、ここに帰れるようになり次第、それを……棺に入れてもらうという約束のうえで、バルドーにあずけておこうという決心さえもしていたのだ。

ところで、そうするかどうかはわからない。それは、死にかけている者の、まったく子供じみた考えなのだ。そうする気持ちになったとしても、ジャン・ポールよ、気早におれをとがめてくれるな。おまえのおじをさげすんでくれるな。その首飾りにちなむ思い出こそは、一つのつまらないできごとにつながっているのだ。しかもそのつまらないできごとこそは、おれのつまらない一生のなかで、ともかくいちばんたのしいものだったのだ。

十日

ミカル来診。

十月十一日、金曜

きのうミカルの来診で疲れてしまった。何から何まで説明してくれた。きわめて強い繊維性の梁《はり》で仕きられた、いちじるしく膿のたまっている大膿瘍。濃厚粘稠《ねんちゅう》な膿。肺は、極度の水腫性充血状態にあるとも打ちあけてくれた。培養による連菌を証明。

ミカルは、この病症に興味を持っている。比較的例が少ないのだ。一年間に、ここでとりあつかった七十九名のイペリット患者のうち、孤在膿瘍患者は七名だけで、おれもその中のひとりなのだ。そのうち四名は手術に成功した。ほかの三名は……

さいわい、多発膿瘍の場合はきわめてまれだ。これはぜったい手術ができない。七十九名の毒ガス患者のうちわずか三名だけ手術をうけた。そして、三名とも死んでしまった。

おれはまさに運がよかった。(なにげなく書いてしまったこの言葉。考えてみるゆとりがあったら、おそらくは書かなかったにちがいない。だが書いてしまった以上、いまさら消したりしないでおこう。苦痛の長びくのを《運がわるい》と言いきれずにいるのは、まだまだ生への執着が相当つよいためといわざるを得まい……)

十月十二日

きのう午後から、また起きはじめた。さらにやせが加わった。九月二十日以来、二キロ四〇〇へっている。

あいかわらず心臓が弱い。ジギタリン、ドロセリンを一日二回。絶えざる発汗。不快感、衰弱、から咳、呼吸困難——これらすべてが同時なのだ。ぐあいはどうだと聞かれると、ここ幾日、ついうっかりと《まあどうやら……》と返事をしている。

十三日

スイス新聞は、ドイツ新内閣が、講和申し入れをするに先だち、ウィルソンにたいし、間接的な交渉をこころみているというきわめてありそうな報道を伝えている。すでに、即時休戦の申し入れは、はっきり表明されている。ありそうな、というゆえんは、ドイツ首相の最近議会での演説のごとき、まさに率直な和平提唱にほかならないからだ。ついきのうまで、あれほど傲然としていたあのドイツが！

願うところは、連合国軍側が羽目をはずさないでほしいことだ！　願うところは、勝ちに乗ずるという誘惑を、きっぱりしりぞけてほしいということだ……すでに、いたるところで、勝馬騎手といったような横柄な態度が見られている！　たとえばリュメルのごとき、この春、最悪の場合を考えていたときのことなど、忘れてしまっているにちがいない。おそらく今日、彼以上強硬な勝利論者はいないだろう！

聞き苦しいのは、フランス新聞がたえずくり返している《喜び》という言葉だ。《解放》とは言えるだろう。だが、ぜったい《喜び》のはずはないのだ！　ヨーロッパを圧している大きな苦悩、それをどうして、そんなに早く忘れることができるだろう？　いかなるものをもってしても、たとい戦争終結をもってしても、苦悩は依然大きく、それはいまでも引きつづいているのだ。

十月十四日、夜

不眠再発。化膿しかけていたころは、いつもうとうとできていたことをなつかしく思いだしてはっとする。うつろな頭。衰弱。《亡霊》のおもちゃになっている。とても苦しいということのわかる程度の意識。

おれは、このノートの中に、おれ自身の姿を書きとめておこうと思っていた。ジャン・ポールのために。ところが、いざ書きはじめてみると、自分には、もはやじゅうぶんな注意力も、脈絡も、熱心さも見られなかった。これまた実現できなかった一つの夢だ。

だが、それがいったいどうだというんだ？　いまや無関心がはげしくなり、それが、油のようにひろがりつづけている。

十五日

全面的攻勢。いたるところで成功。前線すべてが攻勢に出ている。平和が口にされ出して以来、連合軍司令部は、いそいで食おう、残り物をむだにしまいの一心らしい。そして、これがいよいよ最後の《狩り立て》……

きょうはいささか快い。筆を取るのがたのしい気持ち。

ヴォワズネ来訪。仏陀のような彼の顔。平らな顔。眼窩《がんか》が浅く、ぐっと飛びはなれてついている両眼。厚手の花弁（マグノリアか椿の花か）そっくり、曲線をえがいている厚いまぶた。大きな口、動きのにぶい厚い唇。顔には聡明さがあふれていて、見ていて心が落ちつく。いかにも東洋的な、運命論者とでもいった清朗さ。

参謀部の考え方について、最近の情報が手にはいったということだ。憂うべき状況。無尽蔵と言われるアメリカ《予備軍》を当てにできるときまってからは、兵員損失のごとき、もはや問題にしていないということだ。そして、隠然として動きはじめた平和反対の気勢。いかなる休戦の申し出も拒絶し、ドイツ国内に攻め入り、平和条約をベルリンで結ぶ、等々……ヴォワズネいわく《彼らは、戦争終結のことを考えずに、ただ勝利のことだけを考えているんだ》そして、ますます公然と口にされ出したウィルソンにたいする反対の気勢。そして、《十四カ条（第一次ヨーロッパ大戦終結および平和会議の基礎についてウィルソンの提示したところのもの）》のごときはウィルソン個人の意見にすぎず、連合国としては、これまでぜったいそれを公式に承認したことがない、うんぬんとさえ言いはじめている。ヴォワズネの指摘するところでは、七月以来、すなわち最初の軍事的成功が得られて以来、新聞（検閲済みの）は、ときたま《国際連盟》のことを書くことはあっても、《ヨーロッパ合衆国》のことなど、ぜったい口にしなくなっているという。

夜

ヴォワズネが、『ユマニテ』紙を数号おいていってくれた。ウィルソンのメッセージを読んだあとで、わが国の社会主義者がなんともなさけなく見えだしてきて暗然とする。心のせまい党派的根性。

こうした素質からは、こうした人間どもからは、とうてい偉大なものは生まれてこない。ヨーロッパの社会主義的政略家どもは、旧世界の残骸といっしょに、かたづけなければならないところのもの、がらくたといっしょに、はきださなければならないところのものなのだ。

社会主義。民主主義。おれには、やっぱりフィリップ博士の言ったことが正しかったのではないかと思われだしてきた。そして勝利者たる各国政府が、この四年越しの独裁の慣習を放棄するかどうかが疑われだしてきた。クレマンソーの代表する（共和的）帝国主義は、その地盤を明けわたすことに、さだめし大きな抵抗をしめすにちがいない。将来の真の社会主義の中心は、戦争に負けたドイツにおいてまず打ち立てられることだろう。それはつまり、戦争に負けたればこそ。

十六日

この一週間、いささか軽快。

ゴワランが、おれのために二十七日のメッセージの本文を見つけてくれた。それ以前のものにくらべて、なんらつけ加えるところのものではないが、より明確に平和目的を定義している。いわく《この戦争は、新しい秩序を準備する、うんぬん……》諸国民の全体的結合、それこそは、唯一の集団的安全性の保障なのだ。こうした言葉が《期限付き生存者》にすぎない自分にあたえる結果だけから考えても、何百万の戦闘員、何百万の妻や母がどう考えるであろうかが想像できる。こうした希望、それはけっしてむなしく終わらすべきものではない。連合国の指導者たちが、ウィルソン原則を誠実に支持しているかどうか、そんなことはどうでもよい。事態はまさにここまできている。一つになろうとする力はきわめてつよい。時いたらば、ヨーロッパの政客の誰ひとり、待望される平和にたいして、そっぽを向くことはできなくなろう。

おれはジャン・ポールのことを思っている。おまえのことを思っている。無限の安堵感。まさに新しい世界は生まれかけている。おまえには、そうした世界のきずかれる日が見られるのだ。さだめしおまえも、そのために協力するにちがいない。りっぱに協力するため、ジャン・ポールよ、いつも強くあらねばならない！

十七日、木曜

ドイツからの最初の申し出にたいするウィルソンの苛烈な回答。彼は、はっきり、あらゆる談判の開始に先だち、まずドイツ帝国の瓦解、軍閥の剪除《せんじょ》、制度の民主化を要求している。もちろん、次第によっては、平和の到来のおくれることも覚悟の前でだ。たしかに、そうあるべき強硬な態度。主たる目的を見失ってはならないのだ。問題は、尚早な平和でもなければ、カイゼルの降伏でもない。問題は、全面的軍備撤廃、および、ヨーロッパ連合の点にある。それは、帝政ドイツ、帝政オーストリアにしてなくならなければ、とうてい実現不可能なのだ。

ゴワランは、がっかりしている。おれは、彼にたいして、またほかの面々にたいして、ウィルソンの弁護をしてやった。ウィルソンこそは烱眼《けいがん》な実際家、すなわち病竇《びょうとう》がどこにあるかをよく知っており、包帯するに先だち、まず膿瘍をかたづけることを知っている人物なのだ。

膿瘍については、バルドー先生が、イペリット・ガスは単に偶然膿瘍の原因となるにすぎないとみごとに説明してくれた。事実、膿瘍は、ガスでおこった充血性損傷に乗じて二次的細菌が肺の実質を侵襲したために生じたのだ。

十月十八日

きょうは、疲労をこらえるだけでひと苦しみ。新聞以外なにも読めない。

味方の《勝利》について語っている連合国側新聞の論調！　ナポレオンの大叙事詩を歌いあげるユゴー（十九世紀フランスの大詩人、ヴィクトル・ユゴー）さながらだ……こんどの戦争（どんな戦争にしてもおなじことだが）には、英雄的叙事詩らしいものなどありっこない。それは、残酷であり、絶望的なものなのだ。それは、悪夢とでもいったように、苦悩の汗に終わっているのだ。たとい、それが幾多の英雄的行為を生みだしたにしても、それらの行為はつねに戦慄をともなっている。それらはじつに、塹壕の底にあって、糞土流血にまみれてなされたものにほかならないのだ。絶望からの勇気によって。そしてまた、いやな仕事をとことんまでやりとげなければといった嫌悪感とともに。けっきょく戦争の後にのこるものは、なんともたまらない思い出ばかりだ。いかにラッパを吹き立てても、いかに国旗に敬礼しても、こうした事実に変わりはないのだ。

二十一日
二日にわたる苦しい日。ゆうべ、ゴメノールの気管内注入をしてもらう。だが、喉頭《こうとう》の浸潤と知覚過敏とのため、操作がなかなかむずかしかった。三人がかりで、やっとのことで成功した。バルドーは、大つぶの汗をながしていた。おれは、まるで三時間ぐっすりねむれた。きょうはいささか楽。

水曜(十月二十三日)

ジギタリンの分量を変えたので、いささか効きめが出てきたらしい。

ぜんぜん、声が出ないときはべつだが、以前にくらべてどもることの多くなったのに気がつく。かつては、こうしたことはまれであり、それにいつでも、何か大きな心配ごとのあるしるしだった。ところできょうの場合、それは肉体的な衰えを語る以外の何ものでもないらしい。

新聞。ベルギー軍はオスタンドとブリュージュに。イギリス軍は、リール、ドゥエー、ルーベー、それにトゥルコワンに。まさに抵抗をゆるさないといった進出ぶりだ。それに反して、ドイツ、アメリカ間の覚書交換は腹だたしいほどのスローモーぶりを見せている。ただしウィルソンは、先決条件として、帝政改革、普通選挙実施の約束を手に入れたらしい。これはたしかに大成功。そのあとでは、カイゼルの退位実現。ただし、これははたしてあすになるか、それとも半年後になるか? 新聞は、力を入れて、ドイツ国内の擾乱を報じている。だが、甘い夢を見ることは禁物。ドイツに革命がおこるとしたら、それは事の促進を意味するいっぽう、事をむずかしくもするだろう。というわけは、ウィルソンは、きわめて強固な政府とでなければ、話にのらない腹らしいから。

十月二十四日

そうだ、おれは、いつも病人に見られるような、無知とか、むじゃきな夢とかを、けっしてうらやましいと思っていない。これまで、死に臨んでいる医者の明晰な意識について、ずいぶん、ばかげたことが言われていた。だが、おれの場合、むしろ逆に、そうしたはっきりした意識こそ、おれをしっかりさせていたのだと思っている。そして、それこそは、最後のときの近づくまで、おれをささえてくれるにちがいない。知るということは、けっして悲しむべきことではない。それは一つの力なのだ。おれは、どういう経過なのかがわかっている。おれには、自分の病気が見えている。それに興味が持てている。おれは、バルドーの苦心のあとを追っている。ある程度、おれはそうした好奇心にささえられている。

これらすべてを、もっとしっかり分析してみたい。そして、フィリップ博士に書き送ってあげたい。

二十四日より二十五日にかけての夜

可もなく不可もなしといった一日。(いまとなっては、あまりわがままも言えない。)

《亡霊》とたたかうため、日記をつづける。

午前三時。長いながい不眠。そのあいだ、おれは絶えず、ひとりの人間の死が、あらゆるものを忘却にもたらすということについて考えていた。最初のうち、おれは、その考えが正しいものででもあるかのように、絶望的に、そのことだけを考えつづけていた。だが、それはまちがっていた。それは正しくないのだ。死によって虚無に帰してしまうものは、ほんのわずかなもの、きわめてわずかなものにすぎないのだ。

おれは根気よく、さまざまな思い出をたぐってみた。自分の犯したあやまち、こっそりやってのけた濡れ事、ちょっと気はずかしいことのかずかず……おれはその一つ一つについて、心のうちにたずねてみた。《これらはすべて、おれといっしょになくなってしまってくれるだろうか？　それは、おれ以外の誰の中にも、ぜったい痕跡を残さないだろうか？》と。引きつづく一時間というもの、おれは自分の過去をふりかえってみて、自分のやったことの中で、何か一つ、自分の心以外にはどこにも痕跡をのこさないようなもの、ぜったい後にのこらないようなもの、物質的にも精神的にもぜったい結果をのこさないようなもの、おれが死んだ後、ぜったいほかの人の記憶の中に芽ばえることのないと確信できるようなものがありはしまいかと、必死になってさがしてみた。ところが、思い出の一つ一つについて、誰かそれを知っていそうな人間、それを知っており、ないしそれを推察していたにちがいないと思われるような人間——そしておそらく、その人間はいまもなお生きており、そして、おれが死んだあとでは、いつかふっとそれを思いだすにちがいないと思われるような人間のいることを発見した。おれは、まくらの上に寝がえりを打ちながら、なんとも言えない悔恨と無念の気持ちにさいなまれ、せめて何か一つ持たないとしたら、おれの死はまったく笑うべきものであり、おれは、虚無の中へはいって行きながら、これこそ自分だけのものと言えるようなものを持って行くという、体面の上からだけでも慰めになるようなものを持って行けないのだぞ、と考えてみないではいられなかった。

ところがとつぜん、おれは見つけた！　それはあのラエネックの病院でのアルジェリア女だ。そうだ、おれには、これこそ自分だけのものと確信のできる、この思い出が見つかったのだ！　その思い出だったら、そうだ、ぜったいに何一つ、おれの息がとまったが最後、ぜったいあとには残らないのだ！

あけがた。疲れはて、そして眠れない。ちょっととろとろしたかと思うと、たちまち咳で目をさます。

夜がな夜っぴて、おれは、その思い出の亡霊とたたかった。おれは、あの悩ましい出来事を虚無にゆだねてしまわないため、その告白をここに書きとめておこうという誘惑と——いっぽうではその逆に、せめてその思い出だけは自分のものにしておきたい、その秘密だけは、ぜひ自分といっしょに死の中へ持ってゆきたいとねがう気持ちと、そうした二つの気持ちのあいだに心をさかれていた。

そうだ、書かずにおこう。

十月二十五日、正午

衰弱か？　強迫観念か？　いよいよ錯乱のはじまりか？　ゆうべから、死というものが、いつもあの秘密と結びついたものとしてだけ考えられている。おれの頭に浮かぶのは、おれのこと、またおれのいなくなるということでなくって、それはいつもあのラエネックでの思い出に結びついている。（ジョゼフが、平和克復について話しにきた。《軍医殿、これで、われわれも、ほどなく復員できますな》これにたいしておれは答えた。《おれはほどなくおさらばだよ》だが、心の底では、こんなことを思っていた。《これでほどなく、あのアルジェリア女のことについても、いっさいがっさいおさらばになるのだ》

　するとたちまち、おれには、自分が、自分の運命を左右できるものになれたような気持ちがした。これで、おれは死にたいして優越権が持てることになったのだ。というのは、あの秘密が虚無に引きわたされるかわたされないか、それは一に、このおれが、たとい相手は誰であれ、このことを書きのこしておいてやるか、ないし、そっと知らせてやるかやらないかにかかっているのだから。

午後

　だまっておこうと思ったが、とうとうゴワランに話してしまった。もちろん、はっきりしたことは何ひとつ言わなかった。アルジェリア女のことをにおわせるようなことはもとより、ラエネック病院の名も出さなかった。まるで子供が、秘密の重みにたえかねて、会う人ごとに《ぼくは知ってるんだよ。でも、教えてなんぞやらないや》と言うかのように。ゴワランは、ちょっと当惑したような、ぎくりとしたようすでおれをながめた。たしかに、気がちがいでもしたと思ったらしい。おれには——たしかにこれが最後だろう——とても得意な満足感を味わうことができた。

夜

新聞をあれこれ読んでは、頭を休めようとした。ドイツ側でも軍閥者流は、こんどの平和を流産させにかかっている。ルーデンドルフ（第一次ヨーロッパ大戦当時のドイツの参謀総長。有名な作戦家）は、外相がアメリカと商議しようとしたというので、彼を裏切り者だとして公然非難し、あわや外相反対運動の先頭に立とうとしたらしい。ところが、平和への動きはきわめて強く、ルーデンドルフは、ついに軍職を辞することになった。好もしい徴候。

ゴワランが来訪。バルフォワが懸念すべき演説をしたということだ。イギリスが食指をうごかしはじめたのだ。ドイツの植民地を併合しようとねらっているのだ。ゴワランは、つい昨年、ロバート・セシル卿がイギリス下院で《われらは、この戦争に、なんら帝国主義の勝利の意図をもって参加しなかった》と断言したことを思いださせた。（なるほど参加したときはそうでもあったろう。だが、いよいよ終結ときまると……）

さいわいそこには、ウィルソンが控えている。民族自決権。戦勝国が、植民地の黒人を家畜のように分配することだけはさせないだろう！

ゴワランと、植民地の問題。彼は、もし連合国にして、ドイツ植民地分配の誘惑に負けるようなことがあったら、そのあやまちは、じつにゆるすべからざることであると、きわめてたくみに説明してくれた。あらゆる植民地問題を全面的に再検討するため、これこそあたえられた唯一の機会なのだ、国際連盟監督のもとに世界の富をひろく共同利用するための道を講じなければ。これこそまさに平和の保障だ！

二十六日

痛勢突如として昂進、終日呼吸困難。

二十七日

呼吸困難は、ようやく別な性質をしめしかけている。すなわち、けいれん性。そのつらさには、なんともたえがたいものがある。喉頭《こうとう》が、まるでつかんでしめあげられるようにけいれんする。絞窄《こうさく》が、呼吸困難に加わったのだ。病勢昂進の状況をメモに書きとめるため、ほとんど一時間ちかくをついやした。（このさき長く、毎日メモを書きつづけることができるかどうか、おぼつかない。）

二十八日

新聞を持ってきてくれたのはマリユス少年だった。たまらない気持ち。（そのすべすべした顔、その明るい目、その若さ……自分の健康にたいする驚くほどの無関心！）これからは、老人、病人以外には会いたくない。死刑囚が、自由で健康な人間を見たくないと思って、看守におどりかかってこれを絞殺する気持ちがよくわかる。

十月二十九日

死と向かいあっているいまの場合、せめて作家たちが、その作品の中で《大いなる》恋愛と呼んでいるような思い出でも持っていたとしたら、心残りの気持ちももっと少なくてすむだろうか？　おれはまた、ラシェルのことを思っている。たびたび。だが、いつも利己主義的な気持ちで。そして、病人らしい気持ちで。おれは、もしラシェルがいてくれ、その腕にだかれて死ぬことができたらたのしいだろう、と思っている。

パリで、あの首飾りを見いだしたときのおれの感動！　たまらなく彼女が恋しくなったあのときの気持ち！　それともいまはおさらばだ。

おれははたして、彼女を《愛して》いたのだろうか？　なにしろ、ほかには誰もいなかったのだ。あれほど愛していた女も。あれ以上愛した女も。だが、あれははたして、作家たちが《恋》とよぶところのものだろうか。

夜

二日以来、ジギタリンもまったく効かない。もうすぐバルドーがやってきて、カンフル注射をしてくれるはずになっている。

三十日

訪問者大ぜい。

みんなの動くのをながめている。このさき彼らは、どれほど苦労をするだろう？　してみると、うまくやったのはこのおれということになるだろう。

疲れている。自分というものに疲れている。疲れている――いまではもう、早くけりをつけてほしいと思うほど！

みんなが、おれを薄きみ悪く思っていることがよくわかる。

この数日来、おれはたしかにとても変わった。それがどんどん進んでいっている。おれは、息のつまりかけた人間の顔、苦悶の顔つきをしているらしい……そうだ、おれにもよくわかる、見ていてこれほどつらいことはないのだ。

十月三十一日

近所にいる従軍司祭が、おれに会いたいということだった。すでに土曜日にもきてくれたのだが、からだのぐあいが悪かったので、会わずに帰ってもらった。きょうは通させた。おかげでとても疲れてしまった。《信仰を持っておいでだったお小さいころ、うんぬん……》まずこんなことからはじめようとした。おれは、《理解したいという欲望をもち、そして、信ずることのできない性質を持って生まれてきたからといって、それはわたしのせいではありませんよ》と、言ってやった。彼は《ためになる本》を持ってきてあげようと言った。そこで、おれはこう言った。《なぜ教会は、戦争否認をためらっているのでしょう？　フランスの司教さんたちもドイツの司教さんたちも、軍旗を祝福し、テ・デウム（謝恩賛美歌）を歌って、主にたいして殺戮を感謝しているではありませんか。うんぬん……》すると、次のようなとほうもない（伝統的な）返事をした。《正しい戦争であるかぎり、人を殺してならぬというキリスト教の禁制ははずされるのです》

思うところあっての打ちとけた話しぶり。おれというものを、どういうふうにつかんだらいいかわからないのだ。そして、帰りがけにこう言った。《さあさあ、あなたのようなりっぱなかたが、まるで犬のようにしてお死にになったりしてはいけませんな》そこで、おれはこう言った。《でも、当のわたしが、犬のように、信仰を持っていなかったとしたらどうします？》ちょうど戸口にいた彼は、ふしぎそうなようすでおれをみつめた。（きびしさと、おどろきと、悲しさと、それに、愛情のまじりあったような表情。）――《わが子よ、あなたはなぜご自分を誹謗したりなさるのです？》

たしかに、二度とはやって来ないだろう。

夜

誰かが喜んでくれるというなら、やむを得なければ承知もしよう。だが、いったいだれのために、信者らしい死に方をしてみせなければならないというのだ？

オーストリアが、イタリアに休戦を申し入れた。いま、ゴワランがやって来た。ハンガリーは、独立と同時に共和国になることを宣言した。

これでいよいよ平和がくるか？

十一月

一九一八年十一月一日、朝

おれの死ぬ月だ。

希望を失ったということは、飢渇の苦しみよりさらに苦しい。

それでいながら、おれの中にはまだ生の鼓動がある。しかも、力強い……おれはときどき物を忘れる。数分間、おれは昔の自分にかえり、ほかの人々とおなじような気持ちになり、何か計画さえ立ててみる。と、とつぜん、氷のようないぶき。ふたたびおれにはわかるのだ。


悪い徴候。それは、マゼの来かたが間遠になったこと。そして、やってくると、いろいろ話をきかせてくれるが、おれについてはほとんど何も語らない。

マゼ、刑務所の看守めいた四角な顔、これからさき、彼をなつかしく思うときがくるだろうか？

夜

この部屋を一歩出さえしたらば、そこに生きた世界があろうなんて……このおれは、すでになんという孤独の中にいることか。生きているものにはわかりっこないのだ。

十一月二日

もう起きられない。三日このかた、ベッドから安楽椅子までの二メートル半を歩けなかった。もうだめだ。窓のそばへ腰かけに行くこともできないのか？　どの窓のそばへも？　夕方の空に立つサイプレスの憂愁……庭をながめることもできないのか？　どの庭も？

おれは、《もうだめだ》と書いている。だが、その言葉の中にひそんでいる地獄については、ときどきちらりと感じるだけにすぎないのだ。

夜

死は、どういうふうにしてやってくるのだろう？　夜（しかも幾晩もまえから）、こうした質問をわれとわが心にかけている。いろいろな場合が考えられる……小男のネダールのときのような、激烈な喉頭《こうとう》けいれんだろうか？　それともシルベールのときのような進行性のやつだろうか？　あるいはモンヴィルやポワレのときのような、心臓の衰弱と窒息だろうか？

午前三時

なあに、いちばんたまらないのは、きのどくなトロワイヤの場合のような窒息だ。あれはこわい。あれだとしたら、とても待ってはいられない。

夜

今夜はとてもぐあいがわるく、二度までバルドーを呼びにやった。十二時ごろにまた来てくれるはずだ。テーブルの上に、気管切開のための箱をおいていった。

《死ぬことなぞはなんでもない。問題は苦しさなのだ》と人が言う。しからば、それをのがれようとさえ思えばのがれるおれでいながら、なぜ苦しみつづけ、じっと待ちつづけているのだろう?——しかも、おれはやっぱり待っている!

十一月四日

イタリアが、オーストリア＝ハンガリーにたいする休戦条約に署名した。

従軍司祭が、また来たいということだ。(疲労を口実にしてことわった。)たしかに予告だ。決心しなければならない日が近づいているのだ。

五日

ジャン・ポールよ、おれたちがねがっていたすべてのこと、おれたちがしたいと思っていたすべてのこと、おれたちがついになし得なかったすべてのこと、おまえこそはそれを実現しなければならないのだ。

十一月六日

ゴワランが来る。休戦が待たれる。しかも戦闘は全線にわたってつづいている。なぜだろう？ ぜんぜん声が出ない。一つの言葉さえ発音できない。

七日

もはや声門がほとんどひらかない。環状披裂後部が麻痺したのか？ バルドーは、黙して語らず。モルヒネ。

一九一八年十一月八日

ドイツ全権大使が、わが戦線を通過した。これで終わりだ。なんにしても、これまで生きていられたことがうれしい。

十一月九日

病勢昂進。ふたたび体温の動揺がはげしくなる（三十七度二分——三十九度九分）。鬱血性浮腫がはじまる。新しい症状は見えないが、全面的な病勢昂進。

おれはレントゲンのことをたのんだ（なぜだろう？）。別のあやしい点が見えたら、探診できようかと思ってなのだ。別の膿瘍のことが気にかかる。体温の動揺は、たしかに深い化膿のあることを語っている。

十日

右肺の痛みが次第にはげしい。一日じゅうモルヒネの内服。別の膿瘍ができたのかな？　バルドーはちがうと言っている。なにひとつ症状的徴候がない。

痰はむしろ減少している。

ベルリンで革命。カイゼル逃亡。塹壕は、いたるところで、希望と解放にわき立っているにちがいない！　ところでおれは……

十一月十一日

つらい一日。あいかわらず右側のおなじ場所に、なんともたえがたい灼熱感。なぜもっと早く、まだ力が残っているうちに、決心しようとしなかったのだろう？　なにを待っているのだろう？《いよいよ時がきたのだぞ》と思うたびに、おれは……

（そうだ、おれはまだ《時がきた》と思ったことはぜったいになかった。《時が迫っている》とは思っている。そして、おれは待っている。）

十二日

バルドーが、呼吸が延長し、限局性な小捻髪音《ねんぱつおん》の聞こえているのを見つけた（？）

正午

レントゲン。右肺先端に、はっきりした輪郭を持たない一帯のかげがある。横隔膜は動かない。透明度の全般的減退。だが、膿の瀦溜《ちよりゆう》はみとめられない。もし別の膿瘍だったら、あやしい部分に、はっきりした、きわめて明瞭な輪郭をもった、完全不透明が見られるはずなのだが。とすると？　穿刺《せんし》をやるには、どうも症状がぼんやりしすぎている。ところで、別の膿瘍でないとしたら？

十三日

あいかわらずおなじ個所に、きわめて限局された肺炎。病症は、たしかに全般的になってきている。

おそろしいほどくさい発汗。

夜

小膿瘍？　複雑性の小多発膿瘍？

バルドーも、たしかにそのことを思っている。

実質内の膿瘍。そうだとすると万事休すだ。もはや手のくだしようがない。そして最後には窒息だ。

十四日

両肺に灼熱感。左肺も水腫にやられている。膿瘍は、両肺にわたって散らばっているにちがいない。これを最後の運だめしのつもりで、膿瘍固定をこころみてみるか？

夜

極度の衰弱。無関心。引き出しの中には、ジェンニーからの手紙が一通。それにジゼールからのが一通。今夜、ジェンニーからさらに一通、どれもこれもあけていない。ひとりでいさせてほしいのだ。もはや誰にも、あたえるべきものがないからだ。

今夜、おれは、それを長いことくり返し言っているうちに、はじめて“De profundis clamavi”（死者のための祈り。《われ深き淵より》）の意味がわかった。

十五日

あれほどおそれていたのは、たしかにおれがわるかったのだ。考えたほどにはこわいものでないらしい。いちばんおそろしい時は、もう過ぎているらしい。いやというほど最後の時のことを考えたおれには、もうこれ以上は考えられない。すべて準備はできている。すべてはそこにある。

十六日

膿瘍固定をやってみたが効果がない。はたしてやったのかしら？　それとも、やるまねだけをしたのかしら？

二日このかた、何ひとつメモしなかった。あまりのつらさで。

やってのけることを考える。だが《あした》とも、《今夜……》ともきめられない。

十七日

モルヒネ、孤独、静寂。いっときごとに、おれはますます引き離され、ひとりになる。みんなの声は聞こえているが、聞こうという気にはもうなれない。

もう細片を取り去ることも、ほとんど不可能になっている。

それははたして、どんなふうにして来るのだろう？　注射をするときまで、はっきり理性を持ちつづけ、このまま筆をつづけていたい。

承知するというのでなく、無関心と言った気持ちでなのだ。ぐったり疲れて、あらがう気にもなれずにいる。不可避なものとの和解。ただ、肉体的な苦痛に身をまかせるのだ。

安らかな気持ち。

けりをつけるか。

十八日
両足に浮腫。やる気だったらいまならできる。すべて準備ができている。手をのばし、心をきめさえすればいいのだ。
ひと晩じゅう、戦いとおした。
いよいよその時。

一九一八年十一月十八日、月曜
三十七歳、四カ月と九日。
思ったよりもわけなくやれる。
ジャン・ポール

エピローグ　了

解説

この星くずの上で生生流転、人類いずこへとむかう?

旧師のフィリップ博士の診察をうけることが、アントワーヌのこんどの旅行の一つの大切な目的だった。名声ある博士は、軍の衛生事務改善委員会の会長という、戦時体制下での重要な地位に推されていた。ところで、小説『チボー家の人々』のなかでのフィリップ博士の地位は、「老賢人」としてのそれである。この「フィリップ博士の診察」の場面は、『エピローグ』中のかなめとなる重要な個所である。

博士はアントワーヌに、一九一七年十月戦場で毒ガス攻撃をうけたときから現在までの症状について、詳しい説明をさせた。いちおう聞きおわると、博士はチョッキのポケットから大きな金側時計を出して、アントワーヌの手首をにぎった。この恩師の動作に、アントワーヌははっとする。かつて博士のもとにいたころ、その動作が何を意味するかを、博士自身の口から聞いていたからである。博士は、「医者というものは、せっぱつまった場合に出会ったとき、いつも自分だけの気持ちになり、ひとりで考えることができなくてはだめなんだ。ところで、それには、ここに一つきわめて確実な方法がある」と言って、不安にかられた患者を静かにさせて、自分ひとりになり、落ちついた気持ちで判断をくだすために、時計を出し、静かに脈をはかるふりをして、時をかせぐことを教えたのである。アントワーヌは、自分という患者をまえにして、旧師がそのようなせっぱつまった場合に立たされている、と考えざるを得なかった。しかし、「ひとつ正式にやってみるかな」と快活に聴診をはじめた博士は、「なあんだ……」「まあ、こういったところだな！」とこともなげに言ってアントワーヌの不安をそらし、最後に「なにしろなかなかやっかいだ。だが、まずその程度のことなのさ！」と平気をよそおって結論する。そして、次のようなことを言う。

　ぼくがわが子のように思っていた、かつてのインターンだった六人のうち、三人は戦死、ふたりは終生の片輪になった。ところで、これは正直なところ、利己主義的な考え方かもしれんが、せめてその六人めだけでも、安全なところにいてほしいと思っているんだ。これからさき何カ月か、戦線から一五〇キロもはなれた南仏で、ぬくぬく日なたぼっこをさせられてね……きみがどう思うかはご自由だが、ぼくとしては、この悪夢が終わるまで、きみをなおらせたくないと思っている！

　ふたりは食卓につき、話はしぜんに時局のことになるが、そのうちに博士は、アンヌ・ドゥ・バタンクールの噂をしてアントワーヌを驚かせる。アンヌは社交界に顔のきくのを利用して、娘のユゲットの主治医になっていた博士を大臣に会わせるよう、便宜をはかったのであった。博士はその大臣に軍衛生機関の再編成を求めようとして、面会を申しこんでいたが、受けつけてもらえずに困っていたところ、アンヌの口ききで「わずか一日」でそれがかなえられたという。博士の言によると、「あの人は、パリの社交界を残るくまなく知っていた！」のである。それだけではなくアンヌは、病気の娘と、空襲で顔をつぶされ「ほとんど盲目も同然」になった夫シモン・ドゥ・バタンクールを棄てて、アメリカ大使館にいたアメリカ人大尉としめしあわせてフランスを出国し、いまはアメリカにいる。それに、大金持ちのアンヌは、トゥール近くの屋敷に、ちょうどフォンタナン夫人のように病院をつくり、特別な関係にあった男を院長にすえて、資金援助しているらしいともいう。アントワーヌと別れてからのアンヌの銃後での行状は、こんなことだったのだ……アントワーヌは黙って、じっと茶碗をみつめる。だがもはや、このような女が何をしようと、アントワーヌには関係のないことかもしれない。ただ彼は、かつての自分と「アンヌとの関係を、恩師は知っているのだろうか？」ということが気になってしかたがない。博士のまえに出ると、いつまでも、インターン時代のおどおどした弟子になってしまう彼である。

食事中アントワーヌははじめて、ウィルソンへの期待を口にする。博士は「あれは月世界の人間なんだ」という。またステュドレルの戦後の革命につづく「世界連邦」という考えかたをアントワーヌが提出すると、博士はそれも「夢」に過ぎないと言ってのける。フィリップ博士とならべると、ウィルソンに期待をもち、世界連邦の夢にも惹かれるアントワーヌは、ずいぶんと理想主義者に見えてくる。それほど博士は、徹底した現実主義者なのだ。『チボー家の人々』の老賢人は、神秘な啓示をたれる仙人ではなくて、科学主義の極にたち、冷静でペシミスティックな懐疑を語る、さめた賢人なのである。

　ぼくらは、これで人類もいよいよおとなの域に達して、これからは、知恵、節度、寛容の支配する時代に進んでいくものと信じていた……知識と理性とが、いよいよ人類社会の進歩を導くような時代になるものと信じていた……そういうぼくらが、後世史家の目から見て、人間について、また文明にたいする人間の能力について、甘い夢をきずいていたおめでたい人間、何も知らなかった人間としてしか映らないと誰に言えよう？　ことによると、ぼくらは人間の重要な条件について、目をふさいでいたのではないだろうか？　ことによると、あの破壊本能というやつ、自分たちが辛苦して打ち立てたものを周期的に打ち倒したくなるぼくらの気持ちは、つまりはぼくらが生まれながらにして持っている建設的能力をはばむところの重要な法則の一つ——つまり、賢者だったら知ることのできる、またわかっているはずの、あの神秘な、はかない法則の一つであるとは言えないだろうか?

博士は、戦争が終結しても、ヨーロッパがその後平和裡に均衡状態を保ってゆくことはできないだろう、という悲観的な見かたに徹している。「そうした均衡が得られるためには、このさき数百年もかかるだろう」というのである。それは、人間の本性のなかに、破壊本能というものがあって、民主主義とか社会主義とかいう理想(これを博士は《まことしやかなお題目》というのだが)を振りかざしても、そのあとでは、またもやすべてがご破算になるにきまっており、そのたびごとに革命や戦争を繰り返してゆくことになる。博士が「数百年もかかるだろう」というのは、人類がこれから先も幾度かの愚かしい戦争をやってみたあと、充分な体験をへた上で、もう少し賢明なものにならないかぎり、本当の平和状態は得られない、という意味であり、二十世紀の人間などにそんなことは期待できない、という計算からくる年数なのである。

このような人間愚昧論を説くフィリップ博士は、いったい誰の代弁者なのであろうか。ここで、どうしても私たちは、この『エピローグ』という最終巻が有する意味を、作者がこれを書いていた時期において考えるという、複眼的な把握を試みなければならなくなってくる。作者はこの『エピローグ』を一九三七年から三九年にかけて書き進んでいた。一九三九年といえば、第二次大戦勃発の年である。このことに注目しなければならない。その六年もまえの一九三三年には、すでにドイツも日本もすでに国際連盟を脱退して、連盟は完全に麻痺状態におちいり、もはやなんの用もなさぬものとなっていた。「すべてはご破算」になっているのである。

作者は、新たな戦乱への突入という状況のもとで、諦めと絶望のなかにいた。そのような絶望感をふまえて、彼はもうひと昔まえの、一九一八年という第一次大戦末期のヨーロッパを描いているのである。そして、余命いくばくもないアントワーヌに、最後の力をふりしぼって、ウィルソンの国際連盟への呼びかけにすがらせようとする。作者は、その理想が「ご破算」になったことを知っている。ここに『エピローグ』がもつ大いなるパラドックス、作者の悲壮なアイロニーがある。『エピローグ』はこの上ない逆説的な書なのである。「自分たちが辛苦して打ち立てたものを周期的に打ち倒したくなるぼくらの気持ち」というフィリップ博士の人間不信の言葉は、作者自身の言葉でなくてなんであろうか？　フィリップ博士にこの小説の「老賢人」の役割を見るのは、このためである。この博士の予言を『エピローグ』の底を流れる固執低音《バッソ・コンティヌオ》として聞きつつ読むのでなければ、この巻を読んだことにはならない。しかしそれでもなお、ウィルソンの理想にのぞみをつなぐアントワーヌの最後の努力を、結果的に無駄なものとして片づけてしまう読みかたは、間違っている。数百年あとにでもよい、人類の体験がついに何ものかを得ることを願って、たとえそれがシジフの努力のような無駄なくりかえしにおわろうとも、人類はその場その場で最善と思われる努力を続けるほかはないことを、『エピローグ』は告げようとするのだからである。

アントワーヌは医者である。医者というものは、もう助かる見込みのないとわかっている患者にでも、なお処方箋を書くことをやめない。それがただ、一時の苦しみを軽減するためにすぎなくてもである。

さて、アントワーヌは夏の予定などについて語ってから、恩師のもとを辞して帰ろうとする。彼は玄関まできて、手をあげて軍帽をとろうとしながら、とつぜんくるりとふり返った。そしてたちまち、目のまえにある見なれた博士の顔の上に、「博士自身さえそれと気づかぬ告白と、深い憐愍《れんびん》のかげ」をみとめた。それはまさしく「一つの宣告」ともいうべきものであった。博士の顔、博士の眼差しは、ともに「何をいまさら夏のことなど？……どうせ運命はきまっているんだ。きみはとうてい助からないんだ！」といった意味を語っていた。「そうか、やっぱり」アントワーヌは信頼する恩師のうっかりした表情のなかによみとった無言の死の宣告に、うなだれ、目を伏せて、のがれるように外へと出てゆく……

彼は夜の街を、よろめきながら、どこへ行くとも知らずに歩いてゆく。「そうだ、われわれ医者にとって、いつも一つの方法がのこされている……苦しまないですむ方法……」彼は安楽死を思って、ほっとする。

おりから空襲警報のサイレンがいっせいに鳴り、パリの町の灯火はすべて消えてしまった。空には爆音、防御陣地からは砲声がとどろく。しかし彼は防空壕にも地下鉄にも待避することなく、ただひとり歩みつづける。世界と彼とのあいだの絆は断ち切れてしまった。孤独が恐怖となって襲ってくる。「ただひとりの友もない！ジャックにしても、おれは友とすることができずに死なせてしまった……」ふと彼はラシェルの首飾りのことを思い出した。いまはラシェルの思い出だけが、彼をわずかにあたためてくれる……

ラシェルは一九一六年の春、フランス領ギニアのコナクリ島の病院で、黄熱病のため死亡していた。彼女はそのとき、外科病棟のリュシー・ボネというひとりの看護婦に首飾りを入れた小包を渡し、それをアントワーヌに送ってもらうよう頼んで死んだのであった。彼女はコナクリのヨーロッパ人墓地の共同墓地に葬られたという。

右は、自宅で発見したあの小包の差出人あてにアントワーヌが出した手紙に対して答えてきた、一九一八年六月二十九日付のリュシー・ボネの手紙でわかったことである。以下『エピローグ』の後半は、場所は南仏のアントワーヌの病室にかぎって、「手紙」と「アントワーヌの日記」だけによって綴られてゆく。そして、その「手紙」の最初のものが、あのダニエルの不可解な性格の変化についての謎を解くものとなる。

ダニエルはその手紙のなかで、「ももをくだいてのけた砲弾の破片」によって、自分が「性をもたぬ人間になったこと」を告白してきた。前巻のなかで私たちは、ぶくぶくふとって去勢されたような人間になっているダニエルの変わりようについて、彼をとりまく女性たちの解釈がまちまちなのを見てきた。それらの解釈はどれも真実に触れていなかったのだ。実のところは、皮肉にも、女性を征服することを生きがいとしていた快楽主義者のダニエルが、ほんとうに「去勢」された人間となり、性《セックス》の世界から閉め出されていたのであった。これで、ダニエルの奇妙なそぶりにも、すべて説明がつく。彼は女性たちを敬遠し、憎み、暗い欲情で見ていたのだ。彼は生きるのぞみを失っていた。だから、ひとおもいに死んだジャックの身の上をうらやましいと思う。そして手紙には、「母が生きているうちは、ぜったいやらないつもり」だが、と自殺の覚悟が述べられている。希望のない彼の残りの人生は、自分を抹殺する日がくるまで、ただ無為の日々をつないでゆくだけのものでしかない。あの『少年園』の巻で、肉体への圧迫から精神を病んでいたジャックのことが思い出される。ジャックの場合は、その圧迫がとり除かれることにより、精神も元に復することができた。また、あのメネストレルの場合には、もしアルフレダの裏切りがなければ、かろうじて彼は生きていけたはずである。しかしダニエルの肉体喪失は、死以外に解決の道がない。肉体と精神の関係という問題は、くるところまできたという観を呈する。

ダニエルには、もし彼が望むなら、まだ長い年月が生きるべく与えられている。だが彼は、それを無為に過ごして、早く終わらせたいと願っている。これとは逆に、アントワーヌの人生はあと数カ月に仕切られている。いまは確実となった死が、すぐそこに待ちかまえているのだ。その残り少ない時間を、アントワーヌはどのように生きてゆくのか? 強靱な精神は滅びゆく肉体にも打ち勝てるものであろうか? 日々の死を生きぬく人のこのあとにつづく壮大な精神の軌跡が、『チボー家の人々』の第二の、そして最終のクライマックスを構成する。

第十五章は、一九一八年五月から六月末までの九通の手紙からなっており、その大部分がジェンニーとの往復書簡である。アントワーヌはジェンニーへの手紙のなかで、老フィリップ博士の顔の上に読みとったに宣告について語り、「わずかの希望さえもゆるされていない……はっきりきまった不治の病気」という認識が、十分な確証をつかんでいる臨床医としての自分の認識でもある、と告げている。しかし六月二十三日には、「いつはてるともない不眠の夜……地獄の責苦……極度の絶望、反抗の気持ち」から、しだいに「忍苦」の状態に達して、意思の力を無感覚、無神経な状態を持ちつづけることに用い、人と接触して生活をとりもどそうと努力した結果、また「新しい均斉」が立ちもどってきそうだ、と書いている。

二十八日の手紙では、与えられた数カ月の生命の猶予期間を自殺でちぢめようとは思わぬこと、その期間を受け入れ、それにかじりついて行きたいと思う、と言い、「ジャン・ポールを中心として、かずかずの考え、将来の計画を組みたて」、それを、わが身にはゆるされない未来のはけ口にしたい、という希望について語っている。ダニエルとは正反対に、残り少ない日々を力をつくして生きよう、という心構えである。そして、すでに死期を目の前にひかえた彼が、ふしぎなことに、「はじめて時間がとても長い」と思うようになるのである。

まず彼は、死後のために、自分の遺産をジゼールと、とくにチボー家の血を継ぐただひとりの人間ジャン・ポールのために役だてたい、と考える。パリの家といまは病院につかっているメーンゾン・ラフィットの別荘をジャン・ポールの母たるジェンニーにゆずり、彼女が貸すなり、売るなりしたらいい、と手紙に書く。このことについてのジェンニーとの手紙のやりとりについては、第十六章の「日記」のなかで語られることになる。

それまで日記をつける習慣のなかったアントワーヌは、七月一日、文房具屋で買ってきてもらったノートに、日記をつけはじめた。書くことによって、心が楽になることがわかったからである。彼はこの「日記」のほかに、自分の日々の症状を克明に記録する「臨床メモ」もつけていた。「毒ガス患者であると同時に医者である自分の手により、発病第一日から毎日正確に記入されたそうした記録は、現在における科学の段階から考え、争う余地のない、有益な臨床観察の全体をなすだろう」と思われたからである。(ジャックも死をまえにして「役に立ちたい」と思ったのだった。) この「日記」と「臨床メモ」とは、死をまえにして、「創造することによって自分を延長したいという気持ち」「自分を後世につたえる何かの仕事」を残したいという欲求、に発するものである。

彼にはいまはじめて、父親が社会的事業や、徳行賞や、少年園や、にこだわり、自分の名前をあらゆるところに残したがった気持ちがわかってくる。アントワーヌは「臨床メモ」を後世の医学界のために、そして「日記」はジャン・ポールのために書こうと思う。

七月十七日、ついに彼はジェンニーに思いきった長い手紙を書いた。それはジャン・ポールを私生児のまま成人させないために、そして全財産をゆずるために、ジェンニーに戸籍の上だけでの形式的結婚を承知してほしいという申込みの手紙である。ジャックの子を戸籍の上でアントワーヌを父親とするジャン・ポール・チボーにして、私生児という境遇が与える不利益を排除してやることが必要だ……七月二十三日、ジェンニーは拒絶の返事をよこした。彼女は、ジャックの子供はジャック以外の父親を持つべきでない。ジャックの妻は、断じて再婚すべきでない……私生児うんぬんは、「昔ふうな偏見」にすぎない……という。アントワーヌは重ねて手紙を出す。私生児の問題は、たしかに無意味かもしれない。しかしそれは一つの事実なのだ……夕方の特急に乗って来さえすればいいのだ……市役所へちょっと行くだけで万事はすむのだ……二時間後には正式な戸籍をもってパリ行きの汽車にのれる……。八月二日、ジェンニーは「革命理論の上から」再度拒絶してきた。「ジャン・ポールは私生児です。これからも私生児のままにしておきます。そして、こうした変則な境遇が、ジャックの息子を、幼いときから社会を敵とするようにさせたにしても、それもけっこうだと思います。おそらくジャックも、息子のため、これ以上の出発を望みますまい！」

なんということ！　動員令下のあわただしいパリの一角で、ほとんど瞬時の触れ合いを持ったに過ぎないジャックとジェンニーの結合は、ジャックの死後に、いちぶのすきもない結婚として揺るぎなく樹立されていたのだ！　このようなジェンニーのありかたは、かつて、ダニエルの家出を胸に秘して死ぬほどの病気におちいったあの少女の日から、ジャックとの気むずかしいにらみあいの日々をへて、彼女らしい性格を一直線に進展させてきた、その論理的到達点にほかならない。彼女のジャックばりの革命的意識については、第九巻の解説「暗雲のもと、相寄る魂」のなかで、恋人の語らいにふさわしくないジャックの長たらしい演説、として私たちが見たものを思いだすだけで理解がつく。

カミュは、「猛だけしい女ジェンニーは、未亡人の状態においてしか永続的な恋の悦びを見いだすことはできないのである。このジェンニーは婦人参政権論者になる資格をもつ女であろう。死んだ夫の思想への忠実と、あの奇妙な愛から生まれた子どもに施すひたむきな教育が、この女を生き永らえさせるのに充分なのだから」と評している。抽象に生きたジャック、そして彼によく似た女であったジェンニー、このふたりは、別れることによってはじめて一体となる、という奇妙な男女だったのだ。

アントワーヌの「日記」は、ジャン・ポールへの語りかけ、日々の病状やもろもろの瞑想（いかなるものの名において）についての記録、戦況の推移の詳細、世界、人類の将来についての思索、という四つのものからなっている。

「日記」を書くについては、「この自分自身というものの、せめてわずかだけでも残しておきたいといった気持ち」があるのだが、「ではそれを誰のために残すのか？」ということになると、答えは「あの子（ジャン・ポール）のため！」となる。「おれのすべての将来、世界のすべての将来は、一にあの子の中にある」と思えるからである（七月九日）。いまのアントワーヌにとって、「あの子がこの世に生まれてきたことはまさに奇跡」なのである（七月四日）。それなればこそ、ジェンニーとの戸籍上の結婚まで考えたのであった。ジェンニーの断固たる拒絶について、アントワーヌはそれはそれで立派だと思う。しかし、ジャン・ポールの将来にすべてののぞみを託する彼は、教育的見地から、そのような母親のジャックの再来のような激烈な反抗的人生観のみが、子供の将来に有益であると考えるわけにはいかない（八月五日）。そこで彼が「日記」のなかでジャン・ポールに語りかけるときには、ジャック的激烈さに批判も加え、またそれを中和させるような、理性的で思慮ぶかい忠言となってゆく。

彼はジャン・ポールに、みずからの本性や天分がどのようなものであるかを見誤らないよう、じっくりと模索するようすすめる。彼はまず自分について語り、均衡と快適な調和のなかで生活していた戦前の自分の考え方や行動のありかたを、戦傷後あらためて問題に付さねばならなくなったことについて語り、そのような反省をすることによって、自分に、生活上の「原則」に従ってゆく「仮面」としての自分と、なにか重大な時期にあたって「原則」に反するようなことをやってのけるもう一つの自分、つまり「真実なるもの……性質の本質」があったことを悟ったと言う。「原則」に反する行為、とアントワーヌが言うのは、たとえばみずからの決断によって安楽死を決行したときの自分のことなどについて考えているのである。そして、このように言うときアントワーヌは、安定を求めていた「仮面」の生活を批判しているのである。そしていっぽうジャックについて、「彼にあっては、ほとんどの場合、その生活が、深い本性（「真実なるもの」）によって導かれていた」と思われ、それがジャックを、「いつもむら気であり、その行為は無鉄砲であり、表面しばしばでたらめでもあるかのように」見せていたのだと指摘する（八月六日）。ここでは、アントワーヌとジャック双方の生き方の長所と短所が言われているわけである。

アントワーヌはジャン・ポールに「いかものの天分を警戒せよ」と忠告する。師たるものや周囲の人の意見を軽率にしりぞけないよう、そしてとくに、「自分自身の利害などは考えないで、あくまでも誠実さを押しとおし、それを明らかなもの、有意義なものとしなければならない」と説く。失われた自分の半生への遅まきの反省が、ここにこめられている。「自分がそもそも何者であるかを知るためには、長い模索を必要とする」のである。「力のかぎり、みずからの視野をひろげるようにつとめるのだ」という意見は、ジェンニーの思想とはかなり異なる見解を対立させているのであり、同時に、自分の誤っていた半生への自己批判をしているのでもある（八月八日）。

アントワーヌがすすめるような模索は、ともすれば、不決断と逡巡に人を追いこみ、どちらつかずの迷路にまよいこませるかもしれない。しかし彼は、それをおそれてはいけないという。

矛盾撞着をおそれすぎるな。なるほどそれは居ごこちのわるいものかもしれないのだが、それは健康的なものでもあるのだ。おれの精神がどう解きほぐしようもない矛盾にとらわれているときこそ、おれは、ともすれば逃げようとするほんとの《真実》にいちばん近づけたように思ったことだった。もしおれにして、《ふたたび人生をくり返さ》なければならないとしたら、それはあくまで《懐疑》の上に立ったものでありたいと思っている。

これはもっともむずかしい積極的懐疑の姿勢のすすめである。であるから、この懐疑は人を卑屈にするものであってはならない。アントワーヌはジャン・ポールに、「自分自身を肯定せよ。文句なしに傲岸たれ。謙譲こそは、人間を小さくさせる寄生虫的美徳にすぎない……思いあがり、謙遜、ともに禁物」と言う（八月二十九日）。そして「価値ある人にならなければいけない」と言って、現代生活においてでくわす最も重要な問題に触れてゆく。

いわゆる通説なるものに耳をかしてはいけない……かんたんに信じることができたらと思うだろう。というわけは、けっきょくそうするほうが便利であり、そうするほうが楽だからだ！……思考が複雑になればなるほど、人は、自分を導いてくれるような既成的観念を受け入れやすい。そして、自分ひとりでは解決できないいろいろな疑問に納得性のある答えをあたえてくれるようなもの、そのどれもこれも助けの神のように思うにちがいない。とりわけ、それを支持するものが多いといったような場合。ところが、それこそ最大の危険なのだ！　抵抗せよ！　あらゆる合い言葉を拒絶せよ！　うっかり仲間になったりしてはいけないのだ！　一党一派に偏したやからが、その《お仲間たち》に保証するところの懶惰《らんだ》な精神的安住などはしりぞけ、むしろ不安定による悩みをこそ選ばなければならないのだ！　自分ひとりで、暗黒の中を模索するのだ。それは、楽しいことではないだろう。だが、それによってもたらされる害は少ない。害の最たるものは、まわりの人々の空念仏にただおとなしく追従してゆくということにある。心せよ！　この点、父の思い出を手本にするのだ！　孤独だった彼の生活、絶えず悩み、ぜったいに定着することのなかった彼の思想、それこそまさにみずからにたいする誠実さ、潔癖さ、心の勇気、見識等の点からいって、おまえがまさに手本とすべきものなのだ。（九月七日）

　ここには、最もむずかしいものである懐疑の道が再度説かれている。そして最後に、ジャックを手本とせよ、と書いているのであるが、それはむしろ、より狭く、あのジュネーヴの《本部》でも、「技術家型」の革命家や暴力革命を主張する人々とはどうしても相いれずに、孤独に自分の絶対平和主義の理想をまもっていたジャックのことにあてはめたくなる。なぜならば、アントワーヌが「通説」、「既成的観念」と名づけているのは、かつて彼自身が安住していた体制肯定的で、安逸な、一般通念のことでもあるが、同時に、「一党一派に偏したやから」という言葉が示すように、それはむしろ、偏向的で、画一的で、教条主義な党派的イデオロギーという意味のほうが強いからである。資本主義社会は病んでいる。しかし、それにかわるものがただちに何々主義とはならないはずである。ここから「合い言葉を拒絶せよ！」、「うっかり仲間になったりしてはいけない！」となる。ではどうしたらいいのか。「何よりもたいせつなのは、新鮮な目で見る」ということである。医学にあって、あらゆる病が「前例を持たない最初の病症として」現われ、そのたびに「新しい療法を考えださねばならない」ように。すなわち、「価値ある人となるためには、豊かな想像力を必要とする」のである（九月七日）。

アントワーヌは自分の書いたものを読みかえして、自分がそのように、「将来のこととか、あとにのこる人たちのことに興味が持てるというのはじつにふしぎ」だと、みずからいぶかる。

彼は「日記」のなかで、自分が戦前から幾度も発していた「いかなるものの名において」という問いにたいする答えを模索する。人間が、これをなし、あれをなさないのは、いかなる規準によるのか、何がこれを善とし、あれを悪と規定するのか、というモラルの問題である。彼はこれについて、「いまさら懐疑や否定のままで死んでなるものか」と、必死の思索をめぐらす。彼には、道徳的意識の源は「宗教に発している服従心が、われわれに先だつ何代もの人々によって長いこと承認されてきた結果として残っている」のだと思える。しかし、神なるものは人間が作ったものだから、神が命ずる道徳的規制というものも、はじめから人間自身が持っていたものを神に与えたというのにすぎないことになる。とすると、「そうした本能は何千年を通してわれらの中につづいたものであり、そして人間社会は、じつにそうした本能のおかげで、完成に向かって進んでいる」のかもしれない（八月十五日）。「十五年にわたっておれをささえつづけてきた不断の熱情」も、「生きとし生けるものにゆるされている成長、そして、無限なるべきその成長にたいしての信仰とでもいったもの」だったのだ。アントワーヌはこうして、人間精神無限進歩、という歓喜にみちた認識に到達する（八月十五日）。彼は窓のブラインドをあけて、ベッドのなかから美しい夏の夜空に視線を投ずる。

この限りない空間、すなわちそこでは、われらの太陽とおなじような無数の天体がゆっくり回転し、そこでは――われらの目にとても大きなものに見え、地球にくらべて百万倍も大きいはずの太陽でさえ、まったく取るにたりないもの、何千何万というほかの星の中で、単に一つの単位にすぎないといったような空間……

天の川。これこそは無数の星、無数の太陽のこなであり、そうした天体のまわりを、たがいに何千万キロもへだたりながら、何十億という天体がまわっている！……しかも天文学者たちの計算によれば、こうした密集した無数の世界も、あの無限の空間にくらべるとき、ほとんど無にひとしいものであり、ほとんど取るにもたらぬ小さな位置しかあたえられていないという。

こう書くだけで、すでに想像力はゆらめかずにはいられない。何やらたのしい目まいとでもいった感じ。今夜はじめて、そしておそらくこれを最後に、おれは自分の死について、一種の落ちつき、一種超然とした無関心な気持ちで考えることができた。苦悩から解き放され、そして、滅びゆく肉体にたいして、ほとんどどうでもいいといったような気持ちがする。おれというもの、それはまさに無限小な、そしてぜんぜんなんの興味にも値しない一個の物質なのだ……（八月二十二日）

「何百万何千万という人間がこの地殻の上に生みだされ、それがほんの一瞬蠢動《しゅんどう》したと見るまに、やがて解体し、姿を消し、ほかの何百万何千万に取ってかわられる」。そうしたつかの間の個々の人間の小さな生には、意味がない。「そうした仮の世にはかなく生きているあいだ、せめては不幸を少なくしようとつとめる以外、そこにはなんの意味もない」（八月十一日）。こう考えると、何がほんとうであるのか、わからなくなってくる。しかしアントワーヌはジャン・ポールに語りかける。「ところが、なんのために生き、なんのためにはたらき、なんのために最善をつくすか？　おまえのいだくであろうこうした問いには、もう少し積極的な答えができるのだ」。

なんのために？　それは、過去と将来とのためなのだ。父や子供たちのためなのだ。自分自身がその一環をなしているくさりのためなのだ……連続を確保するため……みずからの受けたものを、後に来る者へわたすため——それをもっと良いものにし、さらに豊かなものにしてわたすためなのだ。（九月十一日）

これが壮大な思索をへての、アントワーヌの「いかなるものの名において」への答えとなる。個人主義者であったアントワーヌは、いまや人間共同体への連累を自覚し、みずからになし得なかった責務を、いとしいジャン・ポールにゆだねようとするのである。

アルザスの野に散ったジャックの生涯は、その純粋さで私たちを感動させる。しかし『チボー家の人々』という作品の偉大さは、そのジャックの現実を、イペリット・ガス中毒患者アントワーヌの現実が凌駕するところにある。この大河小説はぜったいに『一九一四年夏』でおわる作品ではなかったのである。

七月八日。アントワーヌは三十七歳。「これが最後の誕生日！」と彼は考える。

自分亡きあとの世代のために、そしてチボー家の血を受けつぐジャン・ポールの未来のために、世界がよりよきものであってほしいと願うアントワーヌは、勝利なき平和、軍備の撤廃、国際的な仲裁機関としての国際連盟の構成、を説くウィルソンの呼びかけに共鳴せずにはいられない。それが「人間の深い本能にきわめてかなったもの」と考えるからである。人間の本性には、フィリップ博士が言ったように、「破壊の本性」という困ったものがあることを、アントワーヌも歴史に徴して知っている。だから、もしウィルソンが「全世界が清らかなものになる」などと言ったら、彼の懐疑主義は反発せずにはいられないだろう。「迷妄の最たるものは、自分のつごうのよいようにすべてを信ずること」だからである。そうではなくて、人間がどしがたい不完全なものであるから、それがあやまちを繰りかえしにくいように世界の仕組みを調整するのだ、というのだったら、それは「空想」ではなくて、「良識」という合理的なものになる。ウィルソンを人たちは「偉大な空想家」とか「未来の予言者」と評するが、彼の考えは「かんたんであり、それは新しいと同時に、きわめて古い考え」なのだ。アントワーヌは確信をもって思う。

ウィルソンの提唱する合理的な平和——それこそまさに、ただ一つ真実な、そして永続すべき平和なのだ。すなわち絶対軍備撤廃による平和なのだ——を拒否するとしたら、ヨーロッパはやがて（しかも、なんたる犠牲においてであろう）みずからが、ふたたび袋小路に迷いこみ、ふたたび殺戮に身をさらさなければならないであろうことに気がつくにちがいない。（七月九日）

彼は「病気と死によって、宇宙の運命に参加している」という気持ちを強くする。彼が「いかなるものの名において」というモラルの問題を模索し、宇宙を観照して、無限小としての人間存在に思いをいたしたとき、彼は過去から未来にかけての人間進歩のための個々の努力、不幸を少なくしてゆく努力こそが、はかない人間のなし得る、またなすべきつとめであることに気がついた。この戦争が終結したときが、そのための「一つの前例のない時期」、それをなす絶好の機会である。なぜならば、交戦国のすべてが力を使いはたし、「戦争に疲れ、弾薬庫はからになり、すべてを新しい基礎の上に作り直さなければならない」時だからである。軍備撤廃の可能な時期が近づきつつある。「空想」ではなくて、「現実なのだ」……さらに一歩を進めて、「ヨーロッパ連邦国家」の構成さえも、**夢想**ではない……（七月九日）。

そのためには、ウィルソンが言うように、独裁的政府を打倒しなければならない。

ゲルマン的帝国主義が根絶されないかぎり、独墺ブロックにして、民主主義への進展の道を取らないかぎり、そして、あのまちがったかずかずの考え方（まちがったというゆえんは、それが人類の全的利益に反しているからのことなのだ）すなわち、帝国主義的神秘思想、力にたいする極端な礼賛、そして他国民にたいするドイツ国民の優越ということから、引いてはドイツ人は他国民に君臨する権利ありとする信念、そうした考え方の根本を打倒しないかぎり、ヨーロッパの安全は得られない……大陸の中心に腰をおろしている汎ゲルマン主義的拡張政策が、それにより、国家的自尊心を計画的にあおり立てられている六千万国民のうえに絶対的勢力をふるいつづけているかぎり、ヨーロッパの平和はあり得ないのだ。（九月三日）

戦況は連合国側にますます有利に進展してゆく。戦争終結もそれほど遠いことではない。しかし、将来において「悪のドイツ」をなくするためには、講和条約がドイツ国民に報復の口実をあたえないようなものであってほしい。「願うところは、連合国側が羽目をはずさないでほしいことだ！」「こちらが勝てば勝つだけ、和解による平和」はむずかしくなる……（九月二十日）。アントワーヌの考えをよそに、イギリスもフランスも、勢いに乗じて、徹底的に叩き、とことんまで進むつもりらしい……国際連盟にも独墺を入れさせない、という考えさえでてきている……だが、ウィルソンが控えている。希望はあるのだ……

十月二十六日。病勢が突如として昂進。終日呼吸困難……二十九日。「もしラシェルがいてくれ、その腕にだかれて死ぬことができたら……」……三十一日。従軍司祭が会いにくる……十一月一日。「おれの死ぬ日だ」……六日。休戦が待たれる。しかも戦闘は全線にわたってつづいている……十日。ベルリンで革命。カイゼル逃亡……十七日。安らかな気持ち。けりをつけるか……

こうして、一九一八年十一月十八日月曜、アントワーヌは「思ったよりもわけなくやれる」と書いて、注射器に手をのばし、心をきめる……「日記」は「ジャン・ポール」という万感の思いをこめた呼びかけでおわる……

私たち日本人は『一九一四年夏』と『エピローグ』の邦訳を、第二次大戦終結後、回顧的にしか読むことができなかった。それまで山内義雄先生の御訳は、『父の死』まででとめられていたのである。徴兵拒否をもって反戦運動を押しとおすジャックの物語である『一九一四年夏』や、毒ガス中毒患者が軍備完全撤廢の平和主義を瞑想する『エピローグ』が、一億国民を水際《みずぎわ》作戦へとかりたてていた戦時の日本で、どのようにしても陽《ひ》の目をみる可能性はなかったからである(『エピローグ』の出版はフランスにおいてさえ難航した)。山内先生の御痛恨いかばかりであったか、それは想像にあまりあるところであろう。敗戦後出版可能となり、ついに『チボー家の人人』全巻訳出の偉業をなしとげられた、いまは亡き山内義雄先生の次のお言葉を、私たちは幾たび読みかえしても足りることはないのである。

今やわが國にとつて戰ひは終つた。だが、この戰ひに先立つて、果して如何なる社會不安や如何なる苦惱が見られたらうか。乃至、さうした社會不安や苦惱について如何なる程度の認識が持たれたらうか。わが國にとつて、問題はむしろ戰後に生れた。「一九一四年夏」に取扱はれた不安や懊惱、それはわが國にあつて、逆に戰後の問題として生れてゐる。そこにわが國の悲哀がある。若し、今次戰爭をもつて單に一場の惡夢として片づけ、これに引きつづく省察と検討とを忘れた場合、そこにわれらを待つ恐るべき深淵がある。ここに「一九一四年夏」がわれら、特にわが國の若きインテリゲンチアにたいして持つ大いなる意味がある。
(『新潮』四三(四)、一九七一・四)

店村新次

本書は2008年刊行の『チボー家の人々 13』第11刷をもとにオンデマンド印刷・製本で製作されています。

訳者：
山内義雄
（1894～1973）
1950年「チボー家の人々」により芸術院賞受賞
訳書マルタン・デュ・ガール「ジャン・バロワ」
　「チボー家のジャック」他多数

解説者：
店村新次（たなむら　しんじ）
（1919～1991）
同志社大学名誉教授，文学博士
主著「ロジェ・マルタン・デュ・ガール研究」

白水uブックス　50

チボー家の人々　13　エピローグ（Ⅱ）

訳　者©山内《やまのうち》義《よし》雄《お》
発行者　岩堀雅己
発行所　株式会社白水社
東京都千代田区神田小川町 3-24
振替　00190-5-33228　〒 101-0052
電話（03）3291-7811（営業部）
　　（03）3291-7821（編集部）
www.hakusuisha.co.jp

1984年 3 月 20 日第 1 刷発行
2024年 3 月 10 日第 21 刷発行
表紙印刷　クリエイティブ弥那
印刷・製本　大日本印刷株式会社
Printed in Japan

ISBN978-4-560-07050-5

乱丁・落丁本は送料小社負担にてお取り替えいたします。

Roger Martin Du Gard: *Les THIBAULT*